MENTE, AYÚDAME A DECIDIR

EDUARDO LLAMAZARES

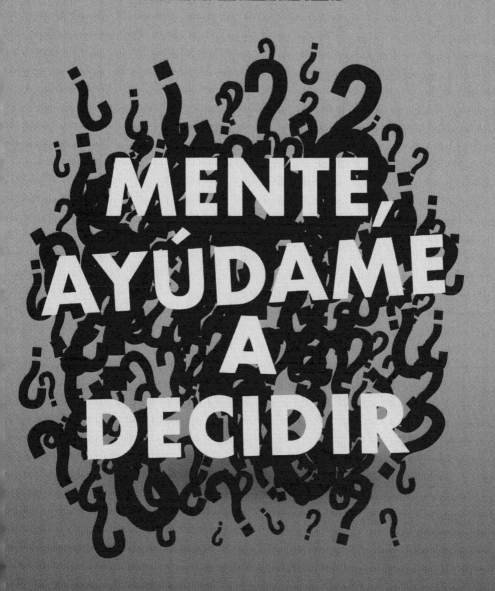

MENTE, AYÚDAME A DECIDIR

Un método para tomar decisiones con confianza y amor propio

Título: *MENTE, AYÚDAME A DECIDIR*
© 2018, Eduardo Llamazares

De la edición y maquetación: 2020, Romeo Ediciones
Del diseño de la cubierta: 2020, Romeo Ediciones

Primera edición: junio de 2020
iSBN: 978-84-18213-63-2
Impreso en España

Dedico este libro a todas esas personas que no solo desean quererse mejor y disfrutar más de su vida, sino que, además, sienten el deseo de hacer algo para conseguirlo día a día, y así mejorar su vida y la de las personas con las que comparten su camino.

ÍNDICE

PARTE 1

EL PODER DE DECIDIR

Tu vida es un libro que escribes con decisiones,
no con intenciones.

1

LA PRIMERA DECISIÓN
IMPORTANTE

No dejes que los planes que tienes para ti
sean más importantes que tú mismo.

Wayne W. Dyer.

En el verano de 2012 toqué fondo. Y, a la vez, desperté.

El chico con el que en ese momento salía de manera informal y con quien compartía mis vacaciones de verano en Torremolinos, un pueblo de la costa de Málaga, me confesó que era seropositivo, después de más de un año de relación.

Fue una preciosa noche de verano, en agosto, con la luna casi llena. Salimos a cenar y, al terminar, me llevó a la orilla del mar. Nos sentamos en la arena, y comenzó a contarme la historia real de su vida. Una vida dura, con episodios muy oscuros, que yo solo había visto en películas y series de televisión. No puedo decir que tuviese sentimientos encontrados. Al principio, lo único que sentí fue una tremenda gratitud y amor hacia él. Me estaba confesando algo muy íntimo. Hay que ser muy valiente para compartir tu verdad, y más cuando puede afectar al que escucha. Imagino el miedo que pudo sentir al decidir contarme algo que me había ocultado durante tanto tiempo.

Lo imagino porque lo he vivido. Cuando decidí salir del armario, tuve que sentar a mis amigos y familiares, y contarles algo que no sabía cómo iban a recibir. Todas las opciones estaban sobre la mesa. En aquellos años no era como ahora. La visibilidad y aceptación que tenemos actualmente las personas del colectivo LGTB en algunos países no son las que teníamos hace veinte años.

Mi primera reacción al escuchar la historia de este chico fue abrazarle y transmitirle todo mi apoyo y cariño. Mi único objetivo era aportarle la seguridad de que su enfermedad no iba a cambiar mi relación con él. Y así lo hice durante aquella semana de vacaciones.

Después, volví a retomar mi vida. En aquella época yo vivía solo, trabajaba mucho, y me consideraba que estaba soltero. Hacía tiempo que huía, inconscientemente, de una relación estable; había sufrido demasiado tras mi última ruptura sentimental. Por ello, nadie de mi entorno sabía que tenía una relación con este chico. Así era yo de cerrado y controlador. Esto, a mi parecer, tenía sus ventajas. Pero tras esas vacaciones, apareció una importante desventaja: no podía compartir con nadie todas las dudas y miedos que surgieron en mí después de aquella noticia, salvo con mi médico de familia.

Recurrí a ella para realizarme las pruebas del VIH, y para que me ayudase con la ansiedad que me despertaba en mitad de la noche. Por suerte, también encontré en esta doctora a una persona que hizo las funciones de amiga: me aportó comprensión y «no juicio». Y ella fue la que me dio la primera pista para comenzar con el cambio que necesitaba. Me hizo una pregunta que yo no me había planteado: «¿No crees que te lo tenía que haber dicho antes?».

Me sorprendió la pregunta. Algo se removió en mi interior. Por un lado, pensé que el tema era algo muy personal, y que la decisión de cuándo y con quién compartirlo era suya. Pero, por otro, surgió una voz que me dijo: «Sí, tenías derecho a saberlo».

Tras aquella consulta me di cuenta de que, durante muchos meses, él me había dado muchas pistas, pero yo no había querido verlas. En varias ocasiones se me había pasado por la cabeza, pero nunca me atreví a preguntarle. ¿Te ha pasado alguna vez esto de no querer ver algo que, a pesar de ser obvio, prefieres no ser consciente de ello? Ese fue mi caso. Entre salir de dudas, poniéndole en una situación incómoda, o seguir haciendo que se sintiese a gusto los ratos que nos veíamos, mi mente, en piloto automático, había optado por lo segundo. Yo no fui consciente de esta decisión, pero, viéndolo en perspectiva, así fue.

¿Te das cuenta de lo que esto significa? Le había priorizado a él por encima de mí. Había valorado más el bienestar de una persona que sabía que era temporal en mi vida, antes que mi propia salud.

Tras ese jarro de agua fría, comencé a reflexionar y me di cuenta de que toda mi vida había estado marcada por esta tendencia de priorizar la opinión y los deseos de los demás. Observé que, a lo largo de mi vida, había pagado consecuencias importantes por ello, sobre todo a nivel de salud física y emocional. Como descubriría más adelante, velar siempre por el prójimo antes que por uno mismo es agotador e insano a partes iguales. Y tiene un alto precio que acabas pagando.

Sin esperarlo, aquella relación que yo había iniciado sin ninguna expectativa y con muchas protecciones emocionales para no «pillarme», y a la que casi no dedicaba tiempo, resultaba que me estaba alterando la vida. Gracias a este chico descubrí algo que, al principio, me dolió enormemente: estaba poniendo en juego mi vida y mi felicidad por ser «buena persona» a base de descuidarme a mí.

A raíz de esta situación, me tomé un tiempo para mí y me pregunté, desde la tristeza más profunda, por qué hacía eso. No tenía ni idea. Hasta esa fecha, no había profundizado demasiado en temas de desarrollo personal, así que comencé a investigar. Descubrí que la única respuesta que podía justificar aquellas decisiones inconscientes era que no me valoraba lo suficiente. Al principio, me costó aceptarlo.

Aparentemente, era una persona que se cuidaba y que había conseguido una buena calidad de vida. Sin embargo, es cierto que, en mi interior, sentía que no lo había conseguido. Acudí a una psicóloga y, enseguida, lo vi claro: todo indicaba que no creía en mí. Me veía muy pequeñito e incapaz de tener una vida feliz. Era como si no lo mereciese. Y esta certeza interior que llevaba mucho tiempo instalada en mi mente me hacía tomar un montón de decisiones que me perjudicaban: desde fumar hasta no saber poner límites en mi trabajo o en mis relaciones.

Jamás sentí rabia hacia aquel chico. Entendí que él había actuado lo mejor que había podido. Gracias a sus precauciones, mi salud no se alteró. Tuve que repetir muchas veces las pruebas del VIH para quedarme tranquilo. Creo que nunca olvidaré aquellos momentos, en soledad, en la sala de espera del centro de enfermedades de transmisión sexual de la calle Sandoval, de Madrid. Eran terribles. Sentía miedo, mucho miedo. Pero también despertó en mí un nuevo pensamiento: si todo iba bien, tenía la oportunidad de cambiar las cosas y empezar de cero.

Y así es como tomé la decisión que cambió mi vida: AHORA YO. Era el momento de quererme. Necesitaba desarrollar mi capacidad para creer en mí y para tomar decisiones desde el amor a mí mismo, y no dar tanta prioridad a los demás. Creer en mí, ¡qué bien sonaba! Pero qué difícil se me hacía. Me faltaba confianza en mí mismo. Era algo nuevo que no sabía cómo iba a conseguir. Sin embargo, sí sabía que estaba relacionado con **tomar decisiones de una forma diferente.**

Aquella experiencia me trajo algo muy bueno: nuevas preguntas. Hasta ese momento yo vivía una vida acomodada. Me dedicaba a trabajar, viajar y salir de fiesta de vez en cuando. Aparentemente, no era una mala vida, pero, en muchas ocasiones, me veía a mí mismo amargado y enfadado con el mundo. Había una sensación de vacío en mi pecho que se repetía cada poco tiempo.

Hasta entonces, mis preguntas habían sido del tipo: ¿cómo puedo hacer para tener un trabajo más estable, ganar más dinero, y sentirme más seguro en todas las áreas de mi vida? o ¿por qué me pasa esto a mí?

Si te identificas haciéndote este tipo de preguntas, te animo a hacer el Test para personas muy mentales[1] , con el que podrás detectar qué frena tu felicidad.

---

1 Puedes descargarlo en https://www.eduardollamazares.com/test-frenos-tomar-decisiones/

Las nuevas preguntas que me surgieron, después de esos meses de incertidumbre sobre mi salud, eran radicalmente diferentes. Comencé a preguntarme qué podía hacer para valorarme más, para sentirme más a gusto conmigo mismo, para ganar confianza en mí mismo y para priorizar mi bienestar por encima de otras cosas y personas.

La respuesta tardó en llegar, pero, poco a poco, y gracias a libros y personas inspiradoras, fueron apareciendo en mi mente algunas claves: conócete mejor, dedícate tiempo a ti, detecta por qué haces lo que haces y qué necesitas para sentirte bien, y deja salir ese potencial que llevas dentro. Vamos, que la receta tenía dos ingredientes claros:

- **autoconocimiento**, para descubrir qué había que cambiar y entender por qué me costaba tanto hacerlo, y

- **decisiones** que me llevasen a actuar de una forma diferente y poder dejar atrás todo aquello que no me convenía.

A raíz de esto, decidí dejar de priorizar mi doctorado, mi oposición, a mis familiares y mi trabajo. Desde ese momento, la prioridad tenía que ser algo tan básico como es **estar yo bien**. Parece algo muy lógico: el bienestar de uno mismo es lo más importante. Sin embargo, ¡cuántas veces se nos olvida! Desde luego, para mí no fue fácil. Mi mente no dejaba de decidir por mí, y esas decisiones no solían beneficiarme. Tenía unos hábitos muy arraigados y me costaba dedicar tiempo, por ejemplo, a leer libros que no fuesen de mi profesión. Lo veía como una pérdida de tiempo. También me resistía a invertir en psicólogos y cursos. Estaba acostumbrado a pagar por formarme en temas relacionados con mi profesión, pero gastar tiempo y dinero en cursos que no sabía si me aportarían un beneficio claro a corto plazo era algo que rechazaba. Sin embargo, había tomado una decisión que seguía muy anclada en mi interior: **AHORA YO**.

Nunca, hasta entonces, me había planteado el poder que tienen las decisiones del día a día. Con el tiempo, he ido descubriendo que hay tres tipos de decisiones: las importantes, las que importan y las diarias.

Las últimas ya las conoces. Son esas decisiones que tomas cada día: qué ropa te pones, qué compras en el supermercado, por qué tareas empiezas o qué camino tomas para ir a trabajar. Suelen estar muy automatizadas, de forma que no tienes que dedicarles mucho tiempo cada día.

Las decisiones importantes son aquellas que tienen un efecto directo en la trayectoria de tu vida. Las tomas en momentos puntuales, y solemos pensarlo mucho antes de tomar una decisión de este tipo. Los ejemplos más comunes son las decisiones con las que eliges qué estudiar para tu futuro profesional, con quién compartir tu vida, dónde vivir, cómo dirigir tu carrera profesional...

El último grupo son las que yo llamo las decisiones que importan. Son cinco aspectos que nos ayudan a superar todos los retos que van apareciendo en cada etapa de la vida. Los veremos en la segunda parte de este libro. Activarlos o no influye enormemente en cómo te sientes en tu día a día, independientemente de las circunstancias que te toquen vivir.

¿Llevas tiempo queriendo cambiar algo en un área de tu vida? Mejorar tu relación de pareja, tu situación laboral, tu sensación de soledad... ¿O, tal vez, estás en un momento de tu vida en el que tienes que tomar una decisión importante? Sea cual sea el motivo por el que vas a leer este libro, mi objetivo es que tengas una estrategia para conseguir más claridad sobre cómo tomar buenas decisiones. Y esa estrategia es tomar las cinco **decisiones que importan**.

Tomar estas cinco decisiones te ayudará a superar esas situaciones que te alejan de la felicidad y desgastan tu autoestima: rupturas sentimentales, problemas familiares, divorcios, insatisfacción laboral, duelos, relaciones tóxicas... Tanto tú como yo hemos vivido alguna de estas circunstancias y sabemos que atraen a esos **ladrones de la felicidad** que son, por ejemplo, la crítica interna, la falta de confianza en ti mismo, la ansiedad o el insomnio. Todos ellos nos llevan a un estado desde el que nos resulta muy difícil sentirnos bien con nosotros mismos. ¿Hay algo más lejano a la felicidad?

Los ladrones de la felicidad te avisan de que necesitas tomar nuevas decisiones.

Quizá pienses que no sabes tomar buenas decisiones porque te falta autoestima y amor propio, o porque sientes que te equivocaste con alguna en el pasado y llevas tiempo sintiéndote culpable por ello. También puede ser que te consideres una persona **indecisa**, que duda demasiado a la hora de tomar una decisión, por muy intrascendente que sea. O tal vez estás en un momento de tu vida en el que tu cabeza se ve bombardeada de ideas sobre cómo cambiar algún área importante de tu vida en el que comienzas a ser infeliz, activando ese **mono loco** inquieto que tanto te agota.

Sea cual sea tu situación, la razón por la que tu mente no te ayuda a decidir es que no tiene una estrategia para superar tus propios bloqueos. Pero no te preocupes, vas a aprender los cinco pasos para liderar tu vida con claridad y coraje.

No es cierto que seas una persona indecisa o incapaz de tomar buenas decisiones. Tampoco suele ser cierta esa idea de que «no es el mejor momento para plantearme esto», es tu mente la que trata de que te creas esa historia. No sé si te has dado cuenta, pero la mente es una estupenda cuentacuentos.

Al hacerlo, te está ofreciendo una excusa para mantenerte en una zona de confort que aprecias, no porque te guste, sino porque te protege de un miedo. ¿Y de qué miedo? Esta es la pregunta del millón. Es algo tuyo, personal, y que solo tú puedes averiguar. Está relacionado con situaciones que viviste y que tu mente no quiere que vuelvas a sentir. Lo veremos más adelante.

Todos tenemos una mente autobiográfica que recuerda, en silencio, la película de lo que hemos vivido en el pasado. Lo más importante es que sepas distinguir entre eso que viviste y el potencial que tienes para vivir cosas muy diferentes en el presente y en el futuro.

Ese potencial es un regalo que recibiste al nacer. Solo tienes que observar a un bebé. ¿Cuántas cosas es capaz de aprender? ¿Dónde están sus límites? Su potencial es tremendo y es innato. Tú también lo tienes, pero puede convertirse en un regalo envenenado si no aceptas la única condición que hay que cumplir para disfrutarlo: tomar decisiones. Y decidir implica algo que no nos gusta: renunciar a algo.

Todas las decisiones importantes que has tomado y vas a tomar están acompañadas de una renuncia.

Este es uno de los frenos que nos bloquean a la hora de tomar decisiones y que nos conduce a creer que si posponemos una decisión, mantendremos más opciones y que eso nos permitirá decidir mejor más adelante, con más información y más seguridad.

Y así va pasando el tiempo, y es cuando ese potencial que tienes se convierte en un regalo envenenado. Porque si no lo aprovechas, si no lo dejas salir tomando decisiones, te hace sufrir. Te hace sentirte insatisfecho, con la sensación de no estar aprovechando esta vida para aportar todo lo que puedes aportar y disfrutar todo lo que puedes disfrutar. Y así comienzan a visitarte los temidos ladrones de la felicidad.

Decidir es renunciar, pero también es escoger. Y en esa elección está el primer paso a tu evolución. Es desde el movimiento desde donde vas a ir realizando los aprendizajes que te llevarán a conocer lo que te hace feliz a ti. Desde la indecisión no hay evolución, sino estancamiento.

Por tanto, no veas el hecho de elegir entre dos o más opciones como un sacrificio.

El verdadero sacrificio no es renunciar a algo, sino limitar tu capacidad de evolucionar.

Tomar decisiones está íntimamente relacionado con el hecho de crear la vida que deseas vivir. ¿Hay algo más importante que esto? Hasta hace unas décadas, las personas vivían menos años y con menos recursos, y la mayoría tenían muy pocas opciones de tomar decisiones importantes para ir moldeando su vida. Pero tanto tú como yo, que tenemos la suerte de vivir en este siglo XXI y pretendemos quedarnos muchos años, merecemos diseñar nuestra vida. Aquello de «tragar carros y carretas» por decisiones del pasado ya no lo queremos. Y, sin embargo, seguimos alargando épocas de sufrimiento por no tomar una decisión importante.

Por tanto, si **las decisiones son el timón con el que lideras tu vida**, necesitas aprender a utilizarlo bien. De ello depende tu propia felicidad.

Lou Holtz, uno de los más famosos entrenadores de fútbol americano con más logros en su carrera, dijo una frase que se popularizó rápidamente: «En este mundo estás creciendo o estás muriendo, así que ponte en movimiento y crece».

¡Vamos a ello!

CÓMO APROVECHAR AL MÁXIMO ESTE LIBRO

Hay libros cuyo objetivo es ser una lectura entretenida para el lector. Otros pretenden inspirar y motivar, a base de aportar nuevas ideas a la mente de esa persona que está buscando respuestas. Por último, hay libros que añaden una intención más: la de ayudar a transformar la vida de esa persona que se adentra en las páginas del libro.

El libro que tienes delante tiene esos tres objetivos. Es un proyecto ambicioso, lo reconozco. Pero fíjate:

De los tres objetivos, hay dos que dependen únicamente del escritor, es decir, de mí. Son los dos primeros: por un lado, entretenerte, y por otro, inspirarte y motivarte. Para ello, me he propuesto estructurar el libro de una forma que te facilite su lectura, utilizar un lenguaje sencillo, poner muchos ejemplos y aportarte una información útil y concreta.

El tercer objetivo, el de transformar tu situación actual, depende de ti y de mí. Mi parte es ofrecerte preguntas, ejercicios y ejemplos de clientes (todos con nombres ficticios) que te faciliten información que no estabas teniendo en cuenta y que influye en cómo te sientes y cómo actúas.

Tu parte es aprovechar las ideas que te vayan surgiendo mientras lees el libro y lo cierras unos instantes para reflexionar y realizar los ejercicios que te propongo. Te recomiendo que tengas tu propio cuaderno para ello. Registrar las reflexiones que te surjan en esta primera lectura te servirá para el futuro, porque en el futuro también te van a pasar cosas que retarán a tu felicidad. En esos momentos, tu mente utilizará toda la información que ya habrás integrado al leer este libro. Releer esas anotaciones en tu cuaderno te ayudará a reactivar los recursos que necesitas para darle el enfoque adecuado.

Por mi parte, voy a tratar de facilitarte esta tarea resaltando algunas «notas mentales» al final de algunos apartados. Estas son ideas que te vendrá bien tener presente y releer de vez en cuando. Te animo a que todas aquellas con las que te identifiques de alguna forma, las escribas en algún sitio que veas a menudo. Yo, en la época que más transformación personal he vivido —que comenzó con la historia que he contado al principio—, me creé un «tendal de ideas». Me compré un cordón finito tipo rústico, unas pinzas muy pequeñas, y unos papeles de colores tamaño *post-it*. Construí mi tendal encima de mi escritorio y, a medida que iba recibiendo ideas que me inspiraban, las apuntaba en un papel y las colgaba en la cuerda. Cada día procuraba repetirlas en voz alta y revisaba si alguna ya la tenía integrada. De ser así, ya podía quitarla para dejar espacio para otras nuevas. Te animo a que crees el sistema que mejor te funcione para sacar partido a las ideas que vas a ir encontrando durante esta lectura.

Este libro no hace magia por sí solo, necesita de tu ayuda. Lo que sí hará es aportarte mucho crecimiento, facilitándote tomar conciencia de cosas a las que antes no dabas importancia y que te impedían crecer. Pero después de ese momento de toma de conciencia, es necesario que lo lleves a la práctica. Y ahí es donde surge la magia, porque **crecer es un regalo** mágico que debemos saber aprovechar en cada momento de nuestra existencia.

Si integras en tu vida las decisiones que importan, mejorarás enormemente tu capacidad para responder ante los retos que se te planteen en la vida, rompiendo con un piloto automático que puede impedirte avanzar en esa área de tu vida.

Déjame darte un último consejo para este viaje: toma la decisión de disfrutar del camino. Acepta que estás en un proceso de cambio. Sé humilde. Nadie nació sabiendo, y tú tampoco. Por eso no debes culparte por tu pasado, ni meterte presión por querer ver resultados de un día para otro. Estás creciendo y, si te lo propones, lo seguirás haciendo toda tu vida.

Por mi parte, te agradezco mucho que me dejes acompañarte en este proceso de aprender a tomar decisiones que te ayuden a superar tus momentos de indecisión y sufrimiento. Compartir contigo el método que utilizo para ayudar a mis clientes, y a mí mismo, es todo un honor.

Gracias por elegirme para aportar algo a tu crecimiento personal.

2

EL ORIGEN DE TUS MALAS ÉPOCAS

La sociedad, la familia, la cultura... nos ponen en un molde.
Cuando salimos del molde, empieza la curación.

A. Jodorowsky

Todos pasamos malas épocas en las que no sabemos qué decisiones tomar para salir de ellas. Algunas se convierten en crisis importantes a nivel profesional, sentimental e, incluso, de identidad, de sentido de la vida... Sean de mayor o menor intensidad, si están ahí, tenemos que aprender a superarlas y sacar de ellas algo positivo para salir reforzados y convertirlas en parte de nuestra evolución. Yo he hecho muchas formaciones, con la intención de aprender y crecer personal y profesionalmente, pero te puedo asegurar que ninguna me ha transformado tanto como esas malas épocas en las que no encontraba ninguna salida que me convenciese.

En mi primera crisis personal que recuerdo, tendría unos diez años. Fue cuando empecé a darme cuenta de que yo no era como se suponía que tenía que ser. Aunque parezca mentira, desde pequeños nos formamos una idea de cómo deberíamos ser. Y yo me alejaba bastante de lo que se esperaba de un niño de los años ochenta en una pequeña ciudad del norte de España. Claramente, **no superé esa crisis** con facilidad. Fui avanzando, tomando decisiones no muy acertadas pero que me permitían tirar para adelante. Pero, realmente, no la superé hasta hace unos pocos años, cuando empezó mi proceso de autoconocimiento. Entre tanto, hasta mis treinta y seis primaveras, he tenido unas cuantas épocas grises, de diferentes tonalidades.

Así que, aparte de todos los títulos que he ido consiguiendo en distintas formaciones, hay algo más que puedo añadir a mi currículum: un **máster en malas épocas.** Mientras realizaba este máster, inconscientemente y a trompicones, lo odiaba. No veía nada positivo en pasar esas «épocas de bajón» cada cierto tiempo sin haberme inscrito voluntariamente en ellas. El mayor ladrón de felicidad que he conocido es **la insatisfacción vital.** Durante varios años, no me sentía a gusto con mi vida. Nada parecía tener el valor suficiente como para hacer que yo me sintiese bien del todo. A raíz de esto, fui conociendo al resto de ladrones de la felicidad: la ansiedad, el estrés autogenerado, el insomnio...

UN MÁSTER NO DESEABLE

Mi caso no es una excepción. Somos muchos los que nos hemos inscrito, involuntariamente, en este máster. Y a todos nos pasa igual: las malas épocas se alargan por no saber tomar una decisión que las resuelva. Unas veces no encontramos una opción que nos convenza, y otras sí sabemos qué opción nos ayudaría a mejorar, pero no nos atrevemos a llevarla a cabo. Lo que es común es que, siempre que pones fin a una mala época, sales de ella reforzado.

Yo puedo decir que, gracias a mis malas épocas, he aprendido a tomar decisiones para diseñar la vida que llevo ahora mismo. Una vida que está muy lejos de aquella otra en la que trataba de convencerme de que todo iba bien, mientras en mi interior algo me decía que así no podía continuar.

Si te ha interesado este libro es posible que, además de haber realizado este máster en malas épocas, también tengas una o dos características en común conmigo. Te cuento. Por un lado, soy una persona que le da muchas vueltas a las cosas. Intuyo que sabes de lo que te hablo. Por otro, hasta hace no mucho, me sentía mal cuando intuía que podía ser juzgado. ¿Tú también dejabas de hacer o decir cosas por miedo a ser criticado?

Algo que parece tan inofensivo como tratar de pasar desapercibido puede convertirse en el responsable de una mala época. No siempre nos han permitido ser como realmente somos, ni nos han enseñado a conocernos ni a entendernos.

Es por esto que arrastramos aprendizajes que nos animan a vivir más limitados de lo que merecemos, con miedo a destacar y a soñar en grande. Uno de esos aprendizajes es el hecho de tener más en cuenta las necesidades y expectativas de los demás que las nuestras propias. Así, nos hemos acostumbrado a poner la atención lejos de nuestra parte más auténtica y nos ocurren cosas como la que me pasó en esa relación que te he contado.

Para superar cualquier mala época, necesitas darte un permiso: el de atender a quien realmente eres, sin máscaras.

Para ello, necesitas averiguar qué estás descuidando de tu verdadera esencia. Y esto requiere una decisión: profundizar en tu autoconocimiento y detectar qué te falta, o qué te sobra, para estar en coherencia contigo mismo.

Yo recuerdo, por ejemplo, haber pasado largos meses bloqueado, con mil dudas sobre qué hacer con mi vida. Una de ellas fue cuando tuve que decidir si prepararme una oposición para mantener el primer trabajo que conseguí al acabar mi carrera. Sabía que tenía que tomar una decisión, pero no veía nada claro. Detectaba ventajas e inconvenientes por todos lados. Me hubiera encantado tener una estrategia para saber con qué opción quedarme. Ya sabes, algo a lo que agarrarte, que te aporte tranquilidad y lucidez para tomar una decisión y salir de ese mar de dudas. En aquel momento, valoraba mucho la información exterior, pero muy poco la que nacía de mí, de mis sentimientos.

Desde hace un tiempo, desarrollé mi propio método para tomar decisiones, basado en estas «decisiones que importan» de las que hablaremos en este libro. Lo utilizo conmigo y con las personas a las que acompaño en mis procesos de *coaching*. Son personas que se sienten bloqueadas e insatisfechas en algún área de su vida y deciden pedir ayuda para salir cuanto antes.

Por todo esto, conozco de cerca cómo te sientes cuando atraviesas estas etapas de crisis y bloqueo. Sé que **dudas mucho y, principalmente, de ti**. Sé que a veces te ves pequeñito, otras te sientes culpable y, muchas otras, con pocas posibilidades de cambiar las cosas. También sé que cuando llevas un tiempo así, tu cuerpo y tu salud se resienten.

Quizá ahora mismo estás atravesando una época de crisis personal o profesional. También puede ser que esto ya venga de lejos, y tengas esa sensación de no sentirte a gusto con una parte de tu vida, o contigo mismo, desde hace tiempo. El caso es que sientes que **necesitas cambiar algo**. Algo externo a ti o algo interno. O, tal vez, ambas cosas. Pero no puedes. La indecisión dirige tu diálogo interior. No sabes por dónde empezar, ni cómo hacerlo.

Una opción, que posiblemente ya hayas probado, es dejar pasar el tiempo. Sí, yo también lo hice. Tiendes a pensar que es normal tener esos días grises cada cierto tiempo. Aceptas que, por tu forma de ser, tienes más días grises que otras personas. Y decides mirar hacia delante, esperando que ocurra algo que traiga un poco de color a tu vida.

El hecho es que, con paciencia, sí suele volver el color a tu vida. Siempre encuentras algo que entretiene tu mente y te saca de ese gris monótono. El problema es que dura poco. La realidad se impone.

Cuando hay algo de fondo que está ocasionando una mala época, es necesario resolver las causas que la originan.

Si no, solo estarás poniendo parches. Y eso no funciona, ni en medicina, ni en un taller de coches, ni en la vida. Por eso, tomar decisiones que te hagan evadirte del problema tampoco es una estrategia que funcione a largo plazo.

Yo, a mis treinta y tantos, pasé una crisis personal importante, hasta que entré en un estado de crisis continua. Me sentía perdido, no sabía qué más podía hacer para volver a tener **ilusión y energía** con las que poder disfrutar de la vida.

Me había volcado en mi carrera profesional, y había dejado de lado mi vida personal. ¿Por qué? Algo había que no me gustaba de mí y, por eso, me alejaba. Pero de todo esto yo no me daba cuenta. Eran procesos subconscientes que marcaban mis decisiones y, sobre todo, mis «no decisiones». Solo sabía que ya no me sentía a gusto ni siquiera con mi vida profesional, ¡y eso que se suponía que era **el pilar más fuerte** que tenía!

Todo el mundo aplaudía lo bien que me iba en el trabajo, y todas las cosas que iba consiguiendo. Llevaba mucho tiempo poniendo casi toda mi energía en mi carrera profesional. Así que el día que empecé a sentirme mal también en esa área de mi vida, mi mundo comenzó a derrumbarse.

Mi experiencia de todos estos años me ha llevado a sacar la conclusión de que hay dos herramientas que nos ayudan, a todos, a salir de estas épocas: el autoconocimiento y el crecimiento personal.

La primera herramienta, el autoconocimiento, es necesaria para que entiendas las causas que te llevan a estar como estás. Te ayuda a descubrir por qué piensas, sientes y actúas como lo haces. Lo trabajaremos con las tres primeras decisiones que importan. La segunda herramienta, el crecimiento personal, es el proceso por el cual comienzas a realizar cosas diferentes. Solo así consigues resultados diferentes. Ambos procesos dependen de ti, pero es necesario algo más: una ayuda externa que te permita introducir nuevos conocimientos en tu mentalidad, y que te acompañe a superar esos autosabotajes que van a tratar de mantenerte en tu zona de confort.

Para poder beneficiarte de ambas herramientas necesitas ayuda, tú y cualquier persona. Leer un libro es una forma de recibir ayuda, pero, a veces, es necesario algo más que un libro. No es un capricho o un signo de debilidad. Es, simplemente, eso: una ayuda.

Yo tuve que pedir ayuda, y eso me llevó a tener que vencer mis resistencias a «gastar» dinero en algo que no sabía si me iba a funcionar. Cuando lo hice y descubrí que había otra forma de resolver mis problemas, reconociendo que yo solo no podía, me sentí muy liberado. Me permitió romper con una de las máscaras que me había inventado para ser más fuerte: la de «yo puedo con todo». ¿Te suena?

A día de hoy, cuando me planteo nuevos retos, sigo leyendo libros y acudiendo a mi *coach*, que me ayuda a no bloquearme en los objetivos que me voy marcando y en las circunstancias que me van ocurriendo.

Aprender a pedir ayuda es, en ocasiones, parte del aprendizaje que tienes que hacer para mejorar tu vida. Si te suele costar delegar o dejarte ayudar por los demás, ten muy en cuenta este aspecto. Lo que puede parecerte una fortaleza, porque no pides ayuda a los demás y te sacas las castañas del fuego tú solito, se puede convertir en un gran freno.

Pedir ayuda y dejarte ayudar potencia tu valentía, tu honestidad y tu humildad.

Eres humano y no puedes hacerlo todo solo. Si estás dejando de hacer algo por el hecho de no querer pedir ayuda, te estás perdiendo muchas cosas. Existe otro camino: mostrar tu vulnerabilidad y reconocer tu verdad. No te resistas a ello. No te juzgues como débil, fracasado o rayado de la vida. Acepta la opción que tienes en tus manos de marcar una diferencia con esa estrategia que utilizabas y que no traía el bienestar que deseas.

Nota mental:

✓ Reconocer que yo solo no puedo con todo puede ser el primer paso para el cambio que deseo.

UN REGALO CADA DÍA

Cada día de vida es un regalo que recibes. Es algo que hemos oído muchas veces, pero que no terminamos de aceptar como real. Y menos cuando estamos en una mala época. Yo, cuando lo estaba pasando mal y leía una frase motivadora de estas, me irritaba.

Sentía que no me aportaban nada estas frases. Necesitaba encontrar una solución a mis problemas y esas ideas positivas no me ayudaban. Mi lógica me decía que, si aceptaba que ese día era un regalo, y me enfocaba en tratar de disfrutarlo, sería un irresponsable, ya que me estaría olvidando de resolver el problema que me amargaba la vida. Mi mente tenía su estrategia: darle vueltas y vueltas a la cabeza. Nunca encontraba una solución, pero, al menos, sentía que me estaba preocupando por resolverlo. Así que seguía con mi **runrún mental**, potenciando este hábito de la rumiación mental, del que te hablaré más adelante.

EJERCICIO: HAZ ALGO DIFERENTE

Te invito a que anotes qué pensamientos acuden a tu mente cuando lees la frase «Cada día es un regalo». Después, anota cómo te hacen sentir: afortunado, triste, culpable, frustrado...

Ahora, imagina que sí sientes que realmente cada día es un regalo, y que has decidido aprovecharlo. Responde a esta pregunta:

¿Qué harías diferente?

Trata de encontrar una sencilla acción que puedas llevar a cabo en tu día a día. Después, toma la decisión de llevarla a cabo hoy o mañana. Por ejemplo, yo decidí no dejar pasar el día sin tener un detalle agradable con alguien, desde un saludo afectivo a un trabajador de mi centro de trabajo, hasta enviar un mensaje a un amigo o familiar para demostrarle que me acuerdo de él. A base de repetirlo, lo adquirí como rutina, y raro es el día que se me pasa llevar a cabo esa acción que decidí que haría.

Las personas que han atravesado circunstancias muy difíciles tienen más facilidad para apreciar sus días de vida, aunque estén en una mala época, porque ellos sí sienten que cada día es un regalo. Sin embargo, si no hemos vivido una realidad realmente difícil, nuestra mente no se acuerda de valorar este gran regalo que recibimos cada día. No le sale de forma natural. La mente está programada para dar prioridad a lo negativo, a lo que es potencialmente dañino. Esa es la función de tu cerebro. Necesita protegerte de las diferentes amenazas que detecta. Por ello, presta más atención a lo que interpreta como **un peligro**.

Esta forma de actuar de la mente es muy frecuente en las personas que aprendimos desde bien pequeños que, por algún motivo, éramos más débiles o estábamos en desventaja con respecto a otros. Para evitar sufrir por ello, aprendimos a tener cuidado de todo, a analizar los posibles peligros y a tenerlos muy en cuenta.

Por suerte, esta no es la única manera en la que puede actuar tu mente. Es solo la forma que aprendiste de hacerlo. ¡Y esto es un notición!, porque no es algo rígido sobre lo que no se puede hacer nada. Es un hábito y, como tal, se puede modificar. No es fácil, como tampoco lo es dejar de fumar o realizar actividad física de forma regular. Es cuestión de propósito y constancia.

Pero ¡ojo! No pensemos que todo es cuestión de enfoque mental. No nos engañemos. Las personas que aprendieron a utilizar su mente en positivo y son más optimistas también tienen malas épocas. A todas las personas se nos presentan retos que superar a los que llamamos «problemas».

Las situaciones que alteran nuestra estabilidad emocional también son un regalo.

¿Cómo? ¿Que los problemas son un regalo? Así es. Los problemas forman parte de la vida y nos ayudan a conocernos más a nosotros y a los que nos rodean. A la larga, esos problemas enriquecen nuestra experiencia de vida.

El peligro surge cuando, en vez de gestionar esas nuevas circunstancias, te acostumbras a ellas. No te gustan, te generan tensión, insomnio, tristeza..., pero te cuesta tomar decisiones para salir de ellas. Te has adaptado. Es como cuando te pones unos zapatos: tu piel se acostumbra y tú ya no te das cuenta de que los llevas hasta que te los quitas. Con las malas épocas pasa igual: puedes llegar a acostumbrarte, aceptando que tu vida tiene que ser así.

Gestionar un cambio importante supone tener que tomar decisiones que requieren de un esfuerzo extra al habitual. Ni tú ni las circunstancias son las habituales. Estás en un momento diferente al de tu equilibrio interior, y te sientes perdido. Pero la realidad es que tienes delante la posibilidad de aprender algo que te ayudará a conocerte mejor y alejarte de tus ladrones de felicidad. Este es el regalo.

EJERCICIO: EL OTRO LADO DE LA MONEDA

Recuerda algún momento en tu vida que interpretaste como negativo y que, a día de hoy, ves que te aportó cosas positivas.

- *¿Qué pensabas de ti cuando estabas en esa mala época?*
- *¿Qué pudiste descubrir de ti gracias a aquella situación?*
- *¿De qué manera haber pasado aquella experiencia te ha permitido quererte o valorarte más?*
- *¿Hubieras sufrido menos si hubieras confiado más en ti y en la vida?*

Generalmente, cuando nos ocurre algo negativo nos dejamos llevar por el afán de que pase rápido esa mala época, generándonos estrés a nosotros mismos y olvidándonos de cuidarnos y querernos.

- *¿Descuidaste tu autocuidado y tu amor propio en aquella época?*

- *¿Qué puedes hacer ahora de una forma diferente?*

La próxima vez que tu mente entre en modo negativo, rememora esta experiencia que viviste y recuerda a tu mente que de esta época también vas a obtener un regalo.

Nota mental:

✓ Por muy dura que sea la situación que estoy viviendo, siempre esconde un regalo que me ayudará en el futuro.

LAS SEÑALES DE ALARMA

Aparte de las situaciones difíciles propias de la vida, el ser humano tiene una gran facilidad para crearse problemas: adquirir hábitos perjudiciales para su salud, crear conflictos familiares, laborales, infidelidades, ¡entre otros!

Por si fuera poco, actualmente tenemos libertad para elegir entre múltiples opciones de casi todo: alimentos, ropa, ocio, etc. Algo que en un principio parece beneficioso, en realidad, aumenta nuestro riesgo de bloquearnos y entrar en una **parálisis por análisis,** porque cuantas más opciones tenemos, más difícil nos resulta decidir. Es la «paradoja de la elección», que describe muy bien el psicólogo Barry Schwartz en su libro homónimo. En él, nos hace ver que tener múltiples opciones nos genera mayor ansiedad a la hora de decidir.

La vida, además de un regalo, se ha convertido así en un manantial de retos, y nosotros necesitamos evitar que esos retos nos lleven a una crisis personal de duración indefinida.

Una de las claves es tomar buenas decisiones cuanto antes, es decir, **prevenir** las malas épocas. Si fueses capaz de detectar rápidamente cuándo estás acercándote a una época peligrosa, podrías ponerle remedio evitando tanta parálisis y tanto estrés. Por suerte, hay algo que sí te da información anticipada de que las cosas no van bien: tus emociones.

Lo que sientes tiene mucho más valor del que sueles otorgarle. Por ejemplo, las emociones desagradables son una gran señal de alarma de que las cosas no van bien. Sin embargo, a las personas muy mentales nos cuesta darles valor a las emociones. Es más, casi no sabemos detectarlas, ni comprender qué nos quieren decir. Nos limitamos a decir «me siento mal», pero no le ponemos apellidos a ese sentimiento.

No es lo mismo saber que estás mal a saber que lo que sientes es tristeza, frustración o enfado. Cada una de estas emociones te da pistas de cuál es el origen de lo que te pasa, y así puedes averiguar cómo sentirte mejor. Sin embargo, si te limitas a pensar que «estás mal», se te hace una bola demasiado grande que no sabes por dónde atacar.

Para evitar entrar de lleno en una mala época, es necesario escuchar al cuerpo: menos pensar y más sentir.

No se trata solo de sentir, sino también de darle importancia a eso que sientes. Las sensaciones que te incomodan y te hacen sentir que algo no va bien son una información valiosísima a la hora de evitar que una situación empeore.

Por ejemplo, cuando se produce una ruptura sentimental, en muchas ocasiones una de las partes llevaba mucho tiempo «sintiéndose mal» antes de comentarlo con su pareja y buscar una solución.

Cuando tienes algo por resolver y no lo haces, comienzas a sentirte incómodo: tensión, inseguridad, desvalorización o disminución de tu autoestima... Esa incomodidad significa que estás teniendo emociones desagradables durante más tiempo del que conviene.

Se dice que todas las emociones son buenas, que no hay emociones negativas. Y es cierto, porque todas las emociones son buenas si entendemos por qué las sentimos y si hacemos lo necesario para volver al equilibrio. Pero no es lo mismo sentir tristeza que sentir alegría. Cuando la tristeza permanece en nosotros durante un tiempo, no es ni agradable ni saludable. Lo mismo ocurre con el miedo, la frustración o la rabia.

Justo esas emociones son las que persisten cuando tienes un problema que no consigues solucionar. Quizá sientas **tristeza** por estar perdiendo el tiempo o el cariño de alguien, **miedo** a seguir como estás sin encontrar una solución, o **rabia** por no haber hecho las cosas de una forma diferente. Si no atiendes esas emociones, si tratas de ignorarlas, te costará aún más salir de tu mala época.

EJERCICIO: TU DIARIO EMOCIONAL

Cuando no estás acostumbrado a sentir tus emociones, te cuesta prevenir las malas épocas. Por eso, si es tu caso, es importante que pares unos minutos, al finalizar tu día, y detectes qué emociones has sentido durante ese día. ¿Predominó la alegría, el bienestar, la ilusión, el amor? ¿O sentiste más rabia, culpa, confusión e inseguridad?

Te dejo aquí un listado para que te ayude a detectar esas emociones. Realiza este **diario emocional** basándote en el guion del cuadro inferior, para ir observando la relación entre lo que haces, con quién te relacionas, etc. y las emociones que sientes.

EL ORIGEN DE TUS MALAS ÉPOCAS

ALEGRÍA	CARIÑO	DESEO	RABIA
ALIVIO	CELOS	DOLOR	RECHAZO
AMOR	CONFIANZA	ENFADO	RESENTIMIENTO
ANGUSTIA	CONFUSIÓN	FRUSTRACIÓN	SATISFACCIÓN
ANSIEDAD	CULPA	MIEDO	TRISTEZA
ASCO	DECEPCIÓN	PREOCUPACIÓN	VERGÜENZA

Este ejercicio es una invitación a conocerte. Hacerlo supondrá una forma de demostrarte que eres importante. Muchas personas no saben cómo empezar con el autoconocimiento. Aquí tienes un sencillo ejercicio para comenzar. Lo ideal es que lo realices durante tres semanas para que desarrolles el hábito de sentir tus emociones. Pero, para empezar, te propongo que te marques el objetivo de hacerlo durante una semana. Verás que irás cogiendo soltura y tomarás conciencia de tus emociones a lo largo del día, sin necesidad de pararte a reflexionar por la noche.

FECHA	¿QUÉ HE HE-CHO/QUÉ HA PASADO?	¿QUÉ HE PEN-SADO SOBRE ESO?	¿QUÉ EMO-CIÓN HE SENTIDO?

Cuando el problema ya está aquí, y no hay prevención posible, nos sentimos bloqueados y angustiados, y lo primero que pensamos es: «¿Por qué me tiene que pasar esto a mí?». Esta pregunta asume directamente que somos víctimas de lo que nos está pasando. Y si hay una víctima, siempre hay un verdugo.

Esta forma de pensar, que es inconsciente, supone un mecanismo de defensa de la mente. Gracias a ella nos sentimos menos responsables, pensando que hay algo externo, un verdugo, que tiene la culpa de nuestra situación. Puede ser tu pareja, tu jefe, el tiempo, los políticos o la situación económica…, da igual. Si culpas a algo externo a ti, estás entrando en un papel de víctima. Dedica un minuto a recordar algún problema que hayas tenido últimamente y en el que te hayas visto como la «víctima» de la película.

Desde esta posición de «pobre de mí», es muy difícil ver lo más valioso que te ofrece una mala época: la posibilidad de obtener mucha información de ti mismo, de las decisiones que has ido tomando, de lo que has priorizado hasta ahora, de lo que has valorado y desatendido, y de lo que necesitas para vivir un futuro más placentero.

La mente, en su afán de protegerte, puede hacer que te pierdas el mayor regalo que tienen las épocas de crisis.

EL CASO DE DAVID

Hace un tiempo trabajé con un hombre que se había separado hacía unos meses. Su mujer había decidido poner fin a su relación. Tenían tres niños pequeños y David (nombre ficticio) ni se había percatado de que la relación llevaba tiempo dañada. Había estado demasiado centrado en su trabajo y en echar una mano en la logística familiar. Durante los meses posteriores a la separación, se encontraba fatal, no dormía casi nada y se sentía muy desmotivado para hacer las cosas del día a día. Guardaba mucho rencor hacia su exmujer, y no podía mantener una relación sana como a él le gustaría, por el bien de sus hijos.

No era capaz de encontrar el lado positivo a esa mala época. De hecho, no creía que pudiese haberlo. Sin embargo, realizando el proceso de coaching, se dio cuenta de cómo su historia de vida había hecho que priorizase siempre su trabajo por encima de su faceta más personal de esposo, padre, amigo... Observó que siempre había querido demostrar a los demás de lo que era capaz. Entendió que esto le mantenía muy lejos de su propia autenticidad, valorándose mucho como profesional, pero muy poco como persona, y sintiéndose inseguro incluso con su pareja.

Gracias a su valentía para iniciar un proceso de autoconocimiento, pudo detectar esa programación interna aprendida de niño que le llevaba a ser una persona rígida y controladora. Detectó sus heridas emocionales y se dio cuenta de que estas le habían impedido mostrar y dar importancia a sus sentimientos y los de su pareja, por encima de otros temas como su profesión o la responsabilidad de llevar una familia adelante. Después de unas sesiones, David se sintió una persona mucho más ligera, con sus prioridades mucho más claras y con la seguridad de haber dejado atrás ese piloto automático que le hacía comportarse de una forma que, en el fondo, ni deseaba ni le beneficiaba.

Este caso es un ejemplo de cómo una mala época puede convertirse en un gran punto de inflexión para comenzar a vivir una vida con mucho más sentido y felicidad.

Si estás atravesando ahora una mala época en algún área de tu vida, vamos a hacer algo. En vez de verlo como un problemón, te propongo verlo como lo que realmente es: **la consecuencia de algo que tienes que reajustar en tu vida para sentirte mejor**. ¿No es mucho más constructivo este enfoque?

Siempre tienes la opción de elegir el enfoque que le das a lo que te pasa. De hecho, **aprender a dirigir tu foco de atención es una de las mejores estrategias para quererte y cuidarte**. Hay múltiples cosas en las que fijarte en cualquier situación desafiante que puedas vivir. Siempre hay un lugar en el que, si pones tu atención, puedes sacar algo positivo. Por ejemplo, ante una discusión con tu pareja, puedes centrarte en su falta de empatía o puedes poner tu intención en buscar cómo hacer que te entienda mejor. Si llevas el enfoque a tu forma de comunicarte, y tratas de hacer algún cambio en ese sentido, estarás abriendo la puerta a que pasen cosas nuevas. Si, en vez de eso, tomas la decisión de enfocarte en su falta de empatía, estarás generando enfado y frustración, sin abrir ninguna puerta al cambio.

Hacer este cambio de enfoque no va a cambiar la realidad de lo que ha pasado, eso lo tenemos claro. Pero sí cambia tu actitud y, con ella, tu capacidad de solucionar esa situación. Sé que hay momentos en los que lo que menos deseas es cambiar tu actitud. Te sientes cabreado, frustrado, incomprendido, deprimido... Y, posiblemente, quieras seguir regodeándote en ese estado porque crees que tienes motivos para hacerlo: tu mente te presenta multitud de justificantes que evidencian que eres una desafortunada víctima de lo que te pasa.

Pero, ¿qué pasaría si, en vez de preguntarte «por qué me tiene que pasar esto a mí», te preguntases: «para qué me ha pasado esto», «qué puedo aprender de esto»? Es muy sencillo: cuando cambias las preguntas, cambias el enfoque de tu atención, y cambia el razonamiento mental que haces. De este modo, tienes más posibilidades de que aparezcan nuevas respuestas. Al hacer ese cambio, estás dejando de verte a ti mismo como víctima de las cosas, para pasar a aceptarte como persona activa que puede tomar acción por sacar algo positivo de esta situación.

Uno de los aprendizajes que más me ha ayudado a evitar entrar en frustración a la mínima de cambio —yo era muy de frustrarme y enfadarme conmigo y con el mundo— ha sido, precisamente, un cambio de enfoque. Antes me centraba mucho en lo que hacían y dejaban de hacer los demás y en cómo eso me repercutía. Como imaginarás, en mi vida encontraba muchos **verdugos**, y yo me sentía muy **víctima**. Ahora sé que llevando mi atención a lo que depende de mí, encuentro mejores respuestas y me focalizo en cosas que sí puedo hacer para alcanzar mi objetivo, que es sentirme bien mientras avanzo hacia mis metas.

Antes de continuar, reflexiona por unos instantes:

> ✓ *¿Para qué te está pasando esa situación que te está costando resolver?*

✓ *¿Qué puedes aprender de ella?*

Después, sigue leyendo para entender cómo las malas épocas son un regalo **de ti y para ti**.

Nota mental:

✓ Si estoy atravesando una mala época, no soy víctima de ella. Tengo el poder de aprovechar esta situación para mejorar mi vida.

ÉPOCAS PARA TI

Cada mala época que vives es una **oportunidad de mejorar tu vida**. Y esto es un regalo que no siempre sabemos apreciar. No hemos desarrollado la costumbre de mirar a nuestro futuro como un pintor mira a su lienzo en blanco. ¡Con lo bonito que es sacar a ese artista que todos llevamos dentro! En la segunda decisión que importa darás rienda suelta a tu artista y descubrirás lo importante que es.

Pasamos muchas épocas en piloto automático, dejándonos llevar por la rutina y la comodidad. Disfrutar de esa estabilidad es perfecto cuando te sientes en coherencia contigo mismo. Pero vas cambiando, y tu coherencia necesita reajustes. Te pasa como a tu teléfono móvil: ¡necesitas actualizaciones cada cierto tiempo!

Un profesor mío decía que somos más valiosos cuantos más problemas nos buscamos. De primeras, me pareció una locura. Luego entendí que ser más valioso pasa por conocerte mejor y descubrir todo el potencial que tienes. Y la mejor forma de conseguirlo es a base de resolver aquellos retos que tú deseas y que, en principio, pueden parecer un *complicarse la vida* en toda regla.

Es en los momentos de dificultad cuando te planteas por qué te cuesta tanto superar una situación que la vida te ha puesto delante, o conseguir ese sueño que tanto deseas. Es ahí cuando te obligas a rascar, a profundizar en tu interior, descubriendo tus miedos y tus limitaciones. Gracias a ello puedes generar una nueva forma de pensar y actuar, que te permita superar esos obstáculos.

La mejor forma de conocerte mejor es superando obstáculos.

¿Recuerdas algún momento en el que decidiste complicarte la vida, a pesar de no ser necesario? ¿Cómo te sentiste? Yo, por ejemplo, recuerdo un verano que decidí irme a trabajar a Francia durante dos meses. No tenía ninguna necesidad, porque ya tenía trabajo en España. Aun así, decidí emplear los dos meses que tenía de vacaciones para irme a trabajar como fisioterapeuta en un balneario en Casteljaloux, un pequeño pueblo del interior de Francia. Casi no hablaba francés, y mi única intención era pasar un verano diferente. Para mi sorpresa, los aprendizajes más importantes no tuvieron que ver con el idioma ni con mi profesión. Allí descubrí que, estuviera donde estuviese e hiciera lo que hiciese, podía ser feliz con muy poco, siempre y cuando me sintiese libre para ser como soy.

Nota mental:

✓ Superar retos es una fórmula infalible para conocerme mejor, fortalecer mi autoestima y liberar el potencial que tengo y que me duele tanto tener reprimido.

TU MÁSTER EN SUPERACIÓN PERSONAL

Fíjate en la relación tan estrecha entre las malas épocas y la superación personal. Están muy cerca, a tan solo una decisión: aceptar que la vida es un proceso diseñado para crecer. Y, ¿qué quiero decir cuando te hablo de crecer a estas alturas de tu vida? Mi visión es que hay un crecimiento que, si lo deseas, puede acompañarte toda la vida. Consiste en:

- Aprender a conocerte en diferentes situaciones.

- Dejar atrás aquello que en otras épocas te servía, pero que, en el momento actual, ya no te sirve.

- Explorar todo tu potencial, superando tus miedos a destacar, brillar y tener éxito.

- Desarrollar tu capacidad de disfrutar y hacer disfrutar, de amar y ser amado, de ayudar y dejarte ayudar.

Ahora toca hacernos una pregunta:

o *¿Por qué nos cuesta vivir las crisis como épocas de crecimiento y superación?*

La respuesta está, como no podía ser de otra manera, en toda la información que utiliza tu cerebro para tomar decisiones. Si hay personas que superan situaciones similares a la tuya, pero de una forma mucho más positiva, es porque tienen una información en su mente que les permite tomar buenas decisiones de una manera más rápida.

He conocido bastantes personas que, a partir de sus sesenta años, se dieron cuenta de que la insatisfacción que sentían durante los últimos años se debía a haber evitado tomar decisiones. Y que, además, esa insatisfacción estaba muy relacionada con todo el dolor, físico y emocional, que estaban sufriendo.

Es triste ver de cerca cómo algunas de esas personas han tirado la toalla y aceptan que así es su vida y ya nada puede cambiar.

Un día me di cuenta de que me podía pasar lo mismo que a esas personas mayores, vencidas ante una mentalidad limitante que los llevaba a tomar decisiones limitantes. Sentí mucha ansiedad. Me deshice al mirar hacia atrás y ver cómo yo también había huido de tomar unas cuantas decisiones importantes. Me di cuenta de que, en temas importantes de mi vida, había preferido conformarme, en vez de tomar esas decisiones.

El conformismo es el mejor alimento para la indecisión y las decisiones limitantes.

Por suerte, también he conocido lo contrario. He conocido a personas con más de sesenta y setenta años que se han reinventado a sí mismas después de sufrir duros golpes. Tuvieron el valor de romper con sus telarañas y tomar nuevas decisiones que les ayudaron a vivir el resto de su vida de una forma mejor para ellos.

Para ayudarte a que tú también puedas reinventar aquello que necesites en tu vida, te voy a hablar de dos características que quiero que analices. Ambas tienen el riesgo, si no eres consciente de ellas, de hacerte caer en épocas de **indecisión y bloqueo**. Una es el hecho de «ser muy mental» y darle muchas vueltas a todo. La otra es el rasgo de la «alta sensibilidad». Puede ser que, como me pasa a mí, te reconozcas con las dos. Vamos a verlas.

Nota mental:

✓ Todo lo que me pasa tiene sentido y me es útil, aunque aún no lo vea.

✓ Siempre puedo crecer, construyendo una versión de mí mismo capaz de reinventar aquellas áreas de mi vida que necesite.

CUANDO ERES MUY MENTAL

Muchas personas no saben que tienen esta característica —no es ninguna patología, no te preocupes— hasta que conviven con una persona que no la tiene. Es entonces cuando se dan cuenta de la gran diferencia que existe en la forma de gestionar las cosas que les pasan.

«¡Ojalá yo fuera así!», pensaba yo cuando tuve mi primer novio, y descubrí que él tomaba decisiones sin darle ochocientas cuarenta y nueve mil vueltas a las cosas.

Las personas muy mentales tendemos a pensarlo todo demasiado. Cuando tenemos un problema, nos pegamos unos viajes tremendos: vamos mentalmente al pasado y recordamos cosas que nos dijo alguien, lo que vimos hacer a otros, o lo que nosotros mismos hicimos.

También nos vamos mucho al futuro, planteándonos distintos escenarios sobre lo que puede pasar si todo sigue igual, o si tomamos una decisión u otra. Así, vivimos un presente en el que tenemos mucha facilidad para activar un runrún mental en cuanto sentimos que tenemos un problema.

Para disminuir ese estrés interior que este proceso ocasiona, hemos aprendido una estrategia que creemos que nos ayuda: tratar de entenderlo todo y de controlar lo máximo posible. ¿Te suena?

Al plantearte mucho las cosas y querer obtener más y más información, te conviertes en una persona muy racional —son los otros los que te lo recuerdan de vez en cuando, porque tú ni te enteras—.

Te cuesta dejarte llevar por la intuición, los sentimientos o las emociones. No los consideras «fiables». Prefieres tomar decisiones más «seguras», basándote en datos a los que das más fiabilidad, como pueden ser información escrita, experiencias de otros, recomendaciones de expertos...

Si te consideras una persona muy mental es por un único motivo: hiciste el aprendizaje de que los sentimientos te hacen débil. Sí, dar tantas vueltas a las cosas es algo aprendido, no es nada genético que deba ser siempre así. Es la forma que encontraste en el pasado para superar ciertos miedos y sufrimientos.

Por tanto, **es un hábito** que, como tal, se puede cambiar. Tu mente entendió que esa forma de funcionar era la más segura para ti en aquella época. Quizá te sentías incomprendido, diferente, juzgado... y eso te generaba miedo a exponerte ante los demás, a equivocarte, a ser blanco de todas las críticas. Así, tu mente sacó la conclusión de que estabas más seguro si pensabas más las cosas, si controlabas más tu forma de hablar, de moverte o de divertirte, y si observabas y analizabas lo que los demás podían decir, hacer o sentir.

Dar importancia a los demás te ayuda a controlar las cosas, pero te hace olvidarte de ti mismo.

Todas estas conclusiones suelen sonarnos a chino cuando nos las dicen la primera vez. Sin embargo, si haces el esfuerzo de retirar ese primer filtro que te dice que todo fue bien en tu infancia, si te permites volver a tu pasado, a recordar cómo te sentías de niño y adolescente, es posible que recuerdes etapas en las que te costaba ser tú mismo y ser aceptado tal como eras.

Fue entonces cuando tu mente decidió que era mejor racionalizar y controlar lo máximo posible, antes que expresar de forma natural y desinhibida tu verdadera esencia. Dependiendo de las heridas emocionales que te dejase aquella época, este hábito de pensar demasiado estará más o menos presente en tu día a día.

En la cuarta decisión que importa entenderás por qué la mayoría de nosotros, en alguna época de nuestra vida, caemos en este hábito de la rumiación mental. También te confiaré otra estrategia que puedes utilizar para evitar entrar en ese bucle que tantos ladrones de felicidad genera.

En mi caso, durante años creí que pensar tanto era mi forma de ser, y acepté que el insomnio y la ansiedad eran compañeras inevitables de esta parte de mí.

Pero lo peor no era eso. Lo que peor llevaba era una idea que me visitaba constantemente: «Eduardo, estás perdiendo tu tiempo».

¿Conoces esa sensación de que **tu vida pasa** y no estás sabiendo disfrutarla? A mí, durante varias épocas, me visitaba cada día esta idea. Y no sabía qué hacer con ella. Deberían enseñarnos, desde pequeños, que esto es una señal de alarma, como cuando tienes fiebre. ¡Es una urgencia! Hay que hacer algo diferente a lo que se viene haciendo. Es el momento de tomar decisiones que importan.

EL ORIGEN DE TUS MALAS ÉPOCAS

EL CASO DE MARÍA

Hace poco acompañé a María con un proceso de coaching. Tiene 45 años, un buen puesto de trabajo y una pareja. Me contactó porque llevaba años deseando dejar su trabajo y dedicarse a lo que le apasiona: la cocina. Se sentía incapaz de conseguirlo, pero también incapaz de olvidarse de esa idea. No paraba de darle vueltas al tema, autocastigándose por no saber cómo resolver esa situación. Pronto se dio cuenta de que toda su vida había tenido mucho miedo a lo que los demás pudiesen decir acerca de sus actos y sus decisiones. Esto lo aprendió con su familia de origen: sus padres y su hermano mayor.

Desde pequeña, sus padres habían tratado de enseñarla que siempre se pueden hacer mejor las cosas y que tenía que destacar. Para ello, la comparaban continuamente con su hermano mayor. Así que cuando llegaba a casa con las notas del colegio, con seis sobresalientes y dos notables, su padre solo se fijaba en los notables, diciendo que había que mejorar en esas asignaturas. Ella sintió que cuando defraudaba a sus padres, disminuía el amor que recibía de ellos: dejaban de reconocerla y valorarla, y comenzaban a compararla con otros. Aquella niña percibía que sus padres querían que fuese de otra forma. Por eso cogió miedo a decepcionarles.

Esto lo arrastró después a otros ámbitos de su vida: a sus parejas, a sus jefes... En cualquier contexto le resultaba muy difícil tomar cualquier decisión que pudiese no gustar a los demás, aunque fuese algo que ella deseara mucho, como dedicarse profesionalmente a la cocina.

En estos tres párrafos, que se leen muy rápido, hay unos aprendizajes muy limitantes que muchos hicimos y que nos han llevado a perder mucha energía y mucho tiempo de vida. Y esto es profundamente triste. Cuando yo descubrí que me había pasado algo parecido, me pasé un mes llorando. Casi sin saber por qué, me daba por llorar. Estaba haciendo un proceso de *coaching*, y mi *coach* me animó a dejarme sentir esas emociones y darles salida. Lloré como nunca antes lo había hecho. Fue tremendamente liberador. Dejé ir esa pena de no haberme atrevido a ser yo mismo y eso desató mis ganas de tomar las riendas de mi vida y descubrir quién era yo realmente.

El caso de María es un ejemplo de cómo nuestra mente saca conclusiones en una etapa de nuestra vida, y esto marca muchas decisiones futuras. Si le das muchas vueltas a las cosas y te cuesta tomar decisiones, es porque en algún momento sentiste **miedo a ser tú mismo**.

Quiero incidir un poco más aquí, para que te des cuenta de la importancia de esta conclusión. ¡Es tremenda! Tremenda y limitante. Si no está bien ser tú mismo, ¿cómo puedes sentirte relajado?, ¿cómo vas a expresar lo que te gusta y lo que no te gusta, lo que te apetece hacer, lo que sientes...?

Exacto, es muy difícil. La única opción que tenías, en aquella época, era aumentar tu capacidad de controlarte a ti mismo. Pero no bastaba con controlarte. También era necesario controlar en lo posible a tu entorno, ya que los demás (niños, compañeros de trabajo, exparejas...) pueden llegar a ser muy crueles. De este modo aprendiste que cuanto más control tengas sobre las cosas y cuanta más información manejes de lo que puede pasar, menos riesgo hay de que las cosas vayan mal. Poco a poco, te convertiste en una persona experta en observar a los demás, detectar qué le gustaba a uno y a otro, analizar cómo reaccionaba cada uno cuando alguien decía algo... Observar, más que mostrarte, se convirtió en una estrategia a la hora de relacionarte.

Este miedo a ser tú mismo dificulta tu capacidad de tomar buenas decisiones, porque te priva de dos derechos fundamentales que todos tenemos.

Tienes derecho a sentirte libre de ser tú mismo y a disfrutar de todo lo que la vida puede ofrecerte.

Estos derechos son innatos, y nada ni nadie debería limitártelos. Los tienes simplemente por estar aquí, por ser como eres, incluyendo tus debilidades, tus imperfecciones y tus errores.

A nuestros padres, en general, no les habían hablado de estos derechos. Trataron de darnos lo mejor para nosotros, pensando que había un «molde» en el que había que encajar para tener éxito y ser feliz.

o ¿Te suena esto de encajar en un molde?

Puede parecerte increíble, pero esos aprendizajes que recibiste de ellos están muy relacionados con tu dificultad para tomar mejores decisiones.

Por ello ahora necesitas hacer un pequeño cambio en tu mentalidad: si de verdad quieres ser feliz, tienes que quererte y confiar en ti. Y para conseguirlo, hay una fórmula: necesitas volver a tomar decisiones desde tu esencia. Consiste en reactivar un poder innato que ya tenías, pero que fuiste perdiendo por el camino.

Para creer en ti, necesitas volver a tomar decisiones sin miedo a ser tú mismo.

Nota mental:

✓ El runrún mental es una estrategia aprendida que no me sirve para superar mis problemas. Yo mismo me genero un tremendo agotamiento físico, mental y emocional. Voy a cambiar de estrategia.

✓ Cuando trato de racionalizar y controlar demasiado, es porque tengo miedo de mostrarme como realmente soy.

CUANDO ERES MUY SENSIBLE

El otro factor que puede estar influyendo en que te sientas, a menudo, indeciso y bloqueado es **el rasgo de la alta sensibilidad**. Si aún no lo conoces, te invito a realizar este breve test basado en el creado por la Dra. Elaine Aron. Señala todas las afirmaciones con las que te identifiques:

☐ Suelo ser muy sensible al dolor, pinchazos, etc.

☐ Me abruman fácilmente cosas como luces brillantes, olores fuertes, telas gruesas o sirenas de emergencia.

☐ Me conmueve profundamente el arte o la música.

☐ Soy particularmente sensible a los efectos de la cafeína.

☐ Evito series y películas violentas.

☐ Me abruma fácilmente el ruido o la información sensorial fuerte.

☐ Me esfuerzo para evitar cometer errores u olvidar cosas.

☐ Cuando tengo que ser evaluado o competir en algo, me pongo tan nervioso o tembloroso que lo hago peor de lo que lo haría si nadie me evaluara.

☐ Cuando era un niño, mis padres o tutores parecían verme como alguien sensible o tímido.

☐ Cuando tengo mucha hambre no puedo concentrarme e incluso afecta a mi estado de ánimo.

☐ Percibo y disfruto fácilmente de los aromas delicados, los sabores, sonidos, obras de arte.

Si te has identificado con seis o más, es muy posible que seas una persona altamente sensible. Estoy convencido de que descubrir este rasgo[2] puede ayudarte a entender por qué te has sentido, y te sientes a día de hoy, sobrepasado por algunas situaciones. Para mí fue un descubrimiento muy importante. ¡Vamos a ello!

La alta sensibilidad es un rasgo de la personalidad que se estima que tiene alrededor del 20 % de la población. Las personas que tenemos esta característica somos más sensibles a todos los estímulos a los que estamos expuestos a diario. Además, tenemos una mayor facilidad para empatizar y emocionarnos, y procesamos la información de manera muy profunda. Estas características hacen que estemos más expuestos a sufrir por nosotros mismos y por los demás.

---

2 Puedes hacer el test de la Asociación de Personas con Alta Sensibilidad en esta página: https://www.eduardollamazares.com/persona-altamente-sensible-peligros/

Por un lado, a las personas que no tienen este rasgo les cuesta entender nuestra excesiva sensibilidad, que es vista y vivida, en muchas ocasiones, como una debilidad o una forma de llamar la atención.

Por otro lado, ese aumento en la capacidad de recibir información y procesarla de manera profunda hace que estemos más expuestos a vivir el sufrimiento de los demás, y a enzarzarnos con un montón de ideas sobre situaciones que hemos percibido.

Ser muy sensible no te hace más débil ni más especial. Es tener una característica que influye en tu forma de pensar y actuar.

¿Y qué relación tiene la alta sensibilidad con tus decisiones?

Bastante, porque ese rasgo te acompaña desde que eras un bebé y es muy posible que crecieses sintiéndote diferente a los demás. Notabas que te afectaban más las cosas, que percibías cosas que otros no percibían. Te costaba entender por qué los demás eran tan «poco sensibles» con algunos compañeros, o contigo mismo.

Esto hizo que tu autoestima se viera afectada, al igual que tu capacidad para relacionarte. Así, tu mente subconsciente almacenó estos aprendizajes sobre cómo eres y cómo te puedes relacionar con los demás. Todo ello influye en tu capacidad para tomar decisiones, de sentirte capaz de conseguir tus metas y, en definitiva, de crear la vida que deseas vivir.

Y fíjate que digo «deseas» y no «necesitas». Porque con esos aprendizajes de baja autoestima y fragilidad, es muy posible que sí hayas tomado decisiones para cubrir tus necesidades, que principalmente eran crear un entorno seguro y controlado. De esa forma estabas cubriendo una de las necesidades básicas de todo ser humano: la de sentirse seguro. El problema es que cuando creemos que tenemos que buscar mucho control y seguridad porque somos «débiles» y «sensibles», nos olvidamos de cubrir otras necesidades que también tenemos, y que son igual de importantes.

Pongamos, por ejemplo, la necesidad de amor. Todos necesitamos sentirnos amados y sentir que damos amor. Es una de nuestras necesidades básicas. Muchas personas la cubrimos, entre otras formas, manteniendo una relación de pareja. Este tipo de relación suele ser la principal fuente de amor, ya que se crea un espacio de intimidad y vulnerabilidad distinto a otras relaciones personales en las que también hay amor, como las relaciones familiares o con amigos íntimos...

Sin embargo, si una persona sufrió mucho en una relación sentimental, puede preferir, consciente o inconscientemente, priorizar su necesidad de seguridad —evitando iniciar una nueva relación de pareja— y desatender su necesidad de amor.

Como imaginarás, las personas altamente sensibles tendemos a sufrir más por experiencias como una ruptura sentimental, una falta de respeto o un entorno nuevo con múltiples estímulos desconocidos. Por ello, tendemos a dar más importancia a la necesidad de seguridad que a otras necesidades, como la necesidad de variedad —vivir experiencias diferentes— o la necesidad de sentirnos reconocidos e importantes para otros. Y así, nos vamos limitando poco a poco, pensando que nuestra forma de ser nos obliga a ello.

**Desatender tus necesidades impide
tu propia realización.**

LUIS Y SU ALTA SENSIBILIDAD

Luis es una persona de éxito a nivel profesional. Ha creado varias empresas y no para de crecer como empresario. Acudió a mí porque dormía muy poco y ya no sabía qué hacer. No tenía claro si necesitaba un proceso de coaching, pero había leído Mente, ¡déjame vivir! y sabía que había algo que retocar en su vida porque, a pesar de su éxito profesional y de tener familia y dos niños que adoraba, se sentía profundamente solo.

Durante el proceso descubrió que era una persona altamente sensible. Toda su vida se había sentido débil por ello, ya que su padre no valoraba para nada esa sensibilidad. Además, su esposa tampoco lo hacía. No era capaz de entender la excesiva empatía de Luis hacia sus amigos y trabajadores. Por ello, había tratado de ocultar esta parte de su personalidad durante toda su vida.

Le gustaba mucho escribir, ir a la naturaleza, escuchar música clásica..., pero no dedicaba tiempo a estas actividades. Se dio cuenta que había dejado de hacerlo por miedo a los comentarios despectivos —y habituales— de su padre.

También tomó conciencia de cómo influía este rasgo de la alta sensibilidad en su relación de pareja. Sufría mucho con las discusiones en general y, más aún, con las familiares. Había aprendido, desde hacía mucho tiempo, a evitar el conflicto. Para él, expresar opiniones que pudiesen generar una discusión con su pareja suponía un enorme desgaste. Había aprendido a vivir, en esta área de su vida, cubriendo su necesidad de sentirse seguro, olvidándose de su necesidad de un amor real, en el que pudiese permitirse ser y expresarse como él realmente es. Otra de las necesidades básicas, la necesidad de sentirse importante, no era capaz de cubrirla en su vida personal, y por eso se había volcado tanto en su faceta de empresario.

Cuando se dio cuenta de la enorme relación que tenía todo esto con ese sentimiento de soledad y esa ansiedad que le impedía dormir, fue cuando pudo decidir abandonar su limitante zona de confort, y comenzar a tomar las decisiones que necesitaba para sentirse bien consigo mismo. Comenzó así a dar los primeros pa-

sos para llevar una vida en coherencia con lo que él es y lo que desea para sí mismo.

Nota mental:

✓ Buscar seguridad y control, para no sufrir, me impide conseguir lo que deseo.

✓ Los ladrones de mi felicidad tienen una misión: hacer que actualice mi forma de vivir y de proyectar mi futuro.

3

SUPERAR LA INDECISIÓN

Utilizar la indecisión para huir de la incertidumbre
alarga la vida de los problemas.

Para poder obtener el lado positivo de cualquier mala época, necesitas tomar decisiones. Caer en la indecisión, debatiéndote entre las diferentes opciones que tienes, es una estrategia ineficaz y frustrante. Para salir de ahí, necesitas ampliar tu visión, dejando de centrarte únicamente en el momento concreto que estás viviendo. Imagina que pudieses subirte a un faro desde el que puedes mirar hacia atrás, y ver el pasado, y hacia delante, observando el futuro. Ese es el sitio correcto para tomar una decisión que mejore tu situación, porque puedes ver los porqués, que vienen del pasado, y los paraqués, que están en el futuro.

Tus porqués vienen del pasado;
tus paraqués están en tu futuro.

Ha llegado el momento en el que necesitas dejar atrás ciertas cosas del pasado, y permitir que nuevas cosas entren en tu vida para crear un futuro diferente.

Estás en un momento en el que necesitas abrirte a lo nuevo. Y, aunque es apasionante en sí mismo, requiere de algo por tu parte: que seas valiente, porque será un periodo de incertidumbre. Sé que la incertidumbre no es la primera amiga con la que quedarías para tomar un café, pero superar con éxito una mala época requiere aprender a llevarte bien con ella.

ENAMÓRATE DE LA INCERTIDUMBRE

Ya la conoces. Has superado mucha incertidumbre en tu vida. Lo que pasa es que, en esa área concreta en la que sientes dudas, tienes más miedo que en otras. Quizá temes fracasar, equivocarte o quedarte solo. El caso es que, para superar cualquier reto, necesitas aceptar la incertidumbre que te genera. Y para ello es muy importante la quinta decisión que importa, que consiste en avanzar hacia tu miedo raíz. Lo veremos más adelante. Ahora quiero que seas consciente de que la incertidumbre no es algo negativo, sino algo que está ahí, inevitable, acompañándote desde que naciste.

Darle una connotación negativa responde exclusivamente a un filtro mental que has elaborado a raíz de alguna experiencia que has vivido. Por ejemplo, cuando elegiste tu profesión también había incertidumbre. Y cuando elegiste a tu pareja. Y, sin embargo, ¿no te han permitido todas esas decisiones, independientemente del resultado final, conocerte y saber más sobre lo que te gusta, lo que deseas y lo que puedes conseguir?

Aceptar la incertidumbre es abrirse a hacer magia con la vida.

MI MIEDO A PERDER EL TIEMPO

Recuerdo cuando conocí a mi pareja. Yo tenía ya 38 años. Llevaba mucho tiempo sin una relación estable —la friolera de nueve años—, aunque lo había intentado un par de veces.

Cuando empezamos a quedar, tenía mucho miedo de enamorarme y volver a pasarlo mal. Y, además, no quería perder el tiempo. Me veía muy mayor como para empezar una relación sin estar muy seguro de que fuese la persona correcta. Quería certezas, pero no las encontraba. No había una máquina de compatibilidad que me dijese si ese chico iba a aguantar mis rarezas ni si cumpliría los requisitos que yo necesitaba.

Ese era mi diálogo interno: rarezas, requisitos... Pero que no te extrañe: llevaba mucho tiempo escuchando a amigos y familiares decirme que yo era muy exigente y muy «mío», y que me iba a resultar muy difícil encontrar a alguien. Pese a todo eso, decidí arriesgarme, a pesar de la incertidumbre y del miedo que me generaba.

Recuerdo que la primera vez que fuimos al cine le comenté que, para mí, era mucho esfuerzo sacar tiempo para ese tipo de planes entre semana. En aquella época estaba preparando el doctorado y no paraba de trabajar y estudiar. En realidad, lo que me costaba no era sacar tiempo para estar con él, sino pensar que, a lo mejor, era tiempo perdido. Puede parecer muy frío, ilógico e insensato, pero así razonamos cuando permitimos que la incertidumbre nos genere miedo. Manejamos unos filtros que nos hacen muy difícil conseguir aquello que, en el fondo, deseamos.

Nota mental:

✓ La incertidumbre necesita decisión y coraje, no certezas.

Es normal que te guste la seguridad. Pero no puedes quedarte siempre en una zona segura. No porque esté feo, sea poco inspirador o poco valiente. Simplemente porque permanecer en tu zona segura te impedirá seguir creciendo, y crecer es parte de tu esencia.

Te sientes mal cuando, a pesar de necesitar crecer en algún aspecto de tu vida, **te resistes**. Inconscientemente, no quieres dejar de utilizar los patrones que venías usando, aunque ya no te ayuden a vivir bien.

Como ser vivo que eres, tus necesidades y deseos van cambiando a lo largo de tu vida. Así, vas atravesando diferentes etapas y cada una requiere pequeños cambios en tu forma de verte a ti y a tus circunstancias. Es muy posible que, en ocasiones, hayas culpado a estos cambios de tus problemas e inseguridades.

Sin embargo, no es el crecimiento en sí, sino tu **resistencia** a adaptar tu entorno, tus relaciones, y tu mentalidad a las nuevas exigencias que requiere la evolución que vas viviendo. Esta evolución es única e intransferible, y por eso no hay recetas globales que nos sirvan a todos. Y también por eso a nuestros seres queridos les cuesta tanto entendernos. Puede que nuestro crecimiento nos lleve por caminos muy diferentes a los que les ha llevado su propio crecimiento.

La única forma de adaptarte a tu propio crecimiento es tomando decisiones, a pesar de la incertidumbre.

Estés o no en una crisis, necesitas estar preparado para vencer la resistencia a decidir realizar los cambios que necesites, a pesar de no saber qué pasará. He visto mucho sufrimiento por la dificultad de tomar decisiones importantes. La mayoría no hemos entrenado la mente para ello. Sobre todo, cuando se trata de áreas de la vida en las que tú, o tu familia de origen, habéis sufrido en el pasado.

LA CHICA INCAPAZ DE SOLTAR UNA RELACIÓN TÓXICA

Recuerdo a una chica con la que trabajé hace tiempo. Fue uno de los procesos más intensos y gratificantes que he vivido. Ella mantenía una relación que definía como muy tóxica con un chico que acaba de dejarla por tercera vez. Estaba segura de que su novio volvería a casa y retomarían la relación. Sabía que no era sano seguir con aquella historia que se prolongaba ya más de tres años, pero no se veía con fuerzas para ponerle fin. Algo pasaba en su interior que le impedía salir de esa mala época que estaba viviendo.

Quería acabar con aquello, pero su mente le decía que no podía tomar ella la decisión. Necesitaba que fuese él quien pusiera el punto final a su relación. Analizando su pasado, se dio cuenta de que, en su familia de origen, había habido mucho sufrimiento en las relaciones de pareja. Sus padres se habían separado cuando ella era adolescente, y ella había culpado a su madre durante mucho tiempo. Un día, no pudo más y se fue de casa, sin trabajo y sin dinero. Tuvo que hacer cosas que nadie desearía hacer, durante dos semanas. Fue la forma que encontró para cubrir sus primeras necesidades. Después, pudo dedicar un tiempo a buscar trabajo en limpieza, hasta que lo encontró.

Desde entonces, su vida profesional había mejorado mucho, pero no su vida personal. Había tenido una relación anterior a la actual, y había sufrido malos tratos hasta que su pareja la abandonó. Se sentía incapaz de dejar a un hombre por el miedo a la incertidumbre de lo que pasaría después. En su mente, había un patrón que asociaba la ruptura sentimental con el dolor más grande que ella había vivido nunca, cuando se separaron sus padres. Esa era la resistencia que tuvo que vencer para coger, definitivamente, las riendas de su vida.

> **Nota mental:**
>
> ✓ No es que sea incapaz, es que tengo resistencias apren-
> didas que me impiden avanzar..

EL ARTE DE CREAR TU VIDA

No todas las personas podemos ser padres. Algunas deciden no serlo y otras no pueden por diferentes motivos, sufriendo mucho por ello. Pero no podemos olvidar que tenemos otra forma de crear una vida: decidiendo cómo vas a vivir tu propia existencia.

Cada día estás creando tu vida.

Eres un ser creativo y las herramientas para realizar tu obra son tus decisiones. Por ello, tomar decisiones es un arte. El arte de diseñar tu vida. Y, como tal, necesita ser entrenado. Ningún gran artista realizó su obra maestra a la primera. Cada una de sus obras fue precedida de bocetos y ensayos que les permitieron acercarse a su obra final.

Con tu capacidad para tomar decisiones pasa igual. Tomas muchas decisiones en tu vida y, sin embargo, puede que te definas como una persona indecisa, a la que le cuesta tomarlas. Tú mismo, sin darte cuenta, te has creado una etiqueta limitante en tu mentalidad: «Soy una persona indecisa». Desde ahí, es difícil desarrollar la vena artista que te permite diseñar tu vida.

Cuando, en vez de tomar una decisión, dejas pasar el tiempo, o permites que otros decidan por ti, estás potenciando esa creencia limitante de tu autoconcepto.

Tu mente se lo acaba creyendo, y cada vez te cuesta más elegir aquello que te hace feliz. Habrán ganado la batalla tus miedos subconscientes: a la incertidumbre, al fracaso, a la crítica. ¿Imaginas lo que nos hubiésemos perdido si artistas como Gaudí o Freddy Mercury se hubieran dejado vencer por sus miedos?

Tu felicidad solo necesita que seas un poco más fuerte que tus miedos.

La realidad no es que seas una persona indecisa, sino que sueles decidir ceder la responsabilidad a otros o a lo que la vida te traiga. Lo bueno es que no solemos funcionar así en todas las áreas de la vida, y quiero que lo veas. Quizá eres indeciso en tu terreno personal, pero sí tomas responsabilidad en tu área profesional, familiar o en tu autocuidado. Así que, a partir de ahora, te invito a que no te digas más que eres indeciso.

Cambia tu diálogo interno para potenciarte, sin engaños. Tu nueva verdad es que reconoces que **hay una parte de ti que utiliza la indecisión para protegerte** de algo que te genera algún tipo de miedo. ¡Esto es mucho más real! Esta sinceridad es el punto donde comienza el camino para transformar tu vida. Lo más importante no es lo que has vivido hasta este momento. Eso no es decisivo. Hay personas que han conseguido grandes logros partiendo de situaciones muy difíciles. Sus historias tienen el poder de inspirarnos.

Si no es algo que hagas, te recomiendo leer información de la vida de personas por las que sientas algún tipo de admiración. Te ayudará a derribar tus creencias limitantes. Algunos ejemplos que te pueden servir son Walt Disney, Stephen Hawking, Sarah Jessica Parker y Oprah Winfrey, que sufrió una niñez horrible, con numerosos abusos, incluyendo una violación a los nueve años; sin embargo, hoy es una de las mujeres más influyentes de su generación y ha dejado huella en millones de vidas a través de su carrera como periodista.

Nota mental:

✓ Hay una parte de mí que utilizaba la indecisión para protegerme. Pero puedo encontrar otras formas más saludables de encontrar seguridad.

DECISIÓN Y ÉXITO

¿Cómo te llevas con el éxito? En mis cursos, siempre encuentro a personas a las que esta palabra les rechina. *A priori*, todos deberíamos querer sentir éxito en nuestra vida. Sin embargo, el éxito puede tener una connotación negativa para algunos, y eso es un filtro mental aprendido.

El éxito es un sentimiento que percibimos con emociones agradables, de esas que te llenan el corazón. Eso sí, cada uno necesitamos cosas diferentes para disfrutar de ese sentimiento. Pero hay algo que es común a todos, y está relacionado con el origen etimológico de la palabra éxito. Proviene del latín *exitus*, que se traduce como «salida».

Desde este punto de vista, sentimos éxito cuando damos *salida* a una carencia o sufrimiento. Carencia es eso que deseas y aún no tienes: ese deseo de tener una mejor relación de pareja, sentirte mejor con tu trabajo, tener mejores relaciones...

Por tanto, podemos entender esa frase que dice que «toda crisis es una oportunidad». Como has visto, estar en crisis significa que debes actualizarte para adaptarte a una nueva situación que deseas o que se te ha presentado. Esa nueva situación te supone un reto, ya que ha generado en tu vida una carencia o un sufrimiento. Necesitas crear una solución. Te toca remangarte y encontrar la salida —*exitus* en griego, *exit* en inglés— a base de tomar decisiones. Al conseguirlo, estarás creando un sentimiento de éxito.

Apuesta por el éxito en tu vida. No consiste en alimentar el ego, sino el amor propio que supone poner fin a carencias y sufrimientos.

UN EJEMPLO REAL DE MI VIDA

Recuerdo cuando en 2008 comenzó la gran crisis económica en España. Yo trabajaba como funcionario, y me bajaron el sueldo un 7 %. Fue en aquella época cuando escuché por primera vez que las crisis son oportunidades. No lo entendía: todo parecía ir mal y nos hablaban de ver el lado positivo. Otros compañeros no lo llevaban tan mal, pero yo no me lo quitaba de la cabeza. Sentía que mi estabilidad económica estaba en manos de los políticos y que eso podía afectar a mi calidad de vida en un futuro.

A raíz de aquello, comencé a preocuparme más por mis finanzas y mi futuro económico. Es decir, aquella época me proporcionó la oportunidad de poner fin a una carencia que yo tenía: la de responsabilizarme de mis finanzas y mi estabilidad económica a largo plazo. Sin saberlo, abrí una puerta a la abundancia, y eso me hace sentir bien —exitoso— en esa área de mi vida.

Sentir esa emoción de éxito personal, de haber puesto fin a algo que te hacía sufrir, es tan beneficioso como sentir la emoción del amor. En definitiva, ese éxito del que te hablo es también un tipo de amor: el amor propio. Si identificas que tu autoestima no es del todo fuerte, necesitas potenciar este tipo de amor. Yo hace años que aprendí que es bueno sentirse exitoso, orgulloso y valiente. Antes no me permitía estas emociones, me parecían demasiado pretenciosas. Ahora sé que el centro de mi vida soy yo, y es a partir de ese centro desde el que puedo querer, disfrutar y aportar a los demás.

Las personas que generan éxito reconocen su dolor y lo utilizan para crecer.

Hay etapas en las que ya no puedes engañarte ni ocultar que necesitas un cambio. En tu interior, sabes que mereces sentirte mejor. Llámalo éxito, alegría o ganas de vivir. El caso es que tu mente te está gritando que te deshagas de los viejos patrones que ya no te sirven. Se llama desapego, o pasar página.

Para conseguir ese cambio necesitas salir de la indecisión. No esperes a encontrar una salida. Necesitas crearla tú. Cada vez que vivas una época de crisis personal o profesional, necesitarás poner en marcha tu maquinaria para crear la salida. Esa maquinaria no es más que el conjunto de decisiones que necesites para volver a sentirte bien contigo mismo. Quizá tengas que aprender sobre algo, pedir ayuda o cambiar tus hábitos. Cuanto más te cueste tomar una decisión, más importantes serán los beneficios que te traiga. Pero atención: todas las decisiones son importantes, porque todas suman en el diseño de tu propia vida.

Nota mental:

✓ Estar en crisis significa que necesito poner fin a una carencia o sufrimiento.

EJERCICIO: TU SEGUNDA VERSIÓN

Antes de continuar, te propongo un ejercicio para trabajar la indecisión. Es un ejercicio muy sencillo y, a la vez, muy potente. Te va a permitir tener una visión más clara de tu situación y de qué vías de solución tienes. Podrás utilizarlo siempre que te encuentres confundido ante una situación.

En primer lugar, elige un lugar en el que sentarte. Puede ser en el que más tiempo pases sentado en tu casa. Cuando lo hagas, asume que eres el personaje A de este ejercicio. Cierra los ojos, toma un par de respiraciones profundas, y métete de lleno en tu problema. Piensa en la situación que te roba felicidad, las carencias que percibes y los sufrimientos que sientes. Observa qué emociones sientes y cómo está tu cuerpo, su nivel de energía y la postura que adopta.

Cuando hayas terminado, elige otro espacio físico. Puede ser un sillón, un rincón donde te guste sentarte en el suelo, o incluso un espacio en el que te guste estar de pie. En este nuevo espacio, pasas a ser el personaje B, y vas a imaginar que el personaje A sigue en el primer espacio que has elegido. Obsérvale como si te hubieras dividido en dos, y en esta segunda versión tú no tienes el dilema que tiene A.

Adopta una postura corporal más erguida y segura, ya que adquieres una nueva perspectiva que te permite ver con claridad posibilidades y opciones que el personaje A no podía ver. Al haberte desligado del problema, ya no te afecta a nivel personal. Por ejemplo, imagina que tienes un conflicto con un familiar. Al colocarte en el personaje B, te desligas de las emociones que sientes, y puedes encontrar nuevas opciones que le recomendarías a una persona que te cuenta ese problema.

Como ves, se trata de que te dividas en dos personas. El efecto positivo que esto tiene es el mismo que se produce cuando cuentas tu problema a alguien externo a ti, que quiere realmente ayudarte y que, en vez de dejarse arrastrar por tu forma de ver tu problema, te aporta una nueva visión que tú antes no valorabas.

Para que este ejercicio sea efectivo, debes utilizar tu imaginación y olvidarte de quién eres para pasar a ser este nuevo personaje B. Sobre todo, ten claro que en esta segunda versión tú ya no tienes tu problema, así que puedes evaluar la situación en la distancia, sin esas emociones negativas que limitan al personaje A.

Desde esta nueva ubicación, analiza la situación real que está viviendo el personaje A, escucha sus preocupaciones y, sin dejarte arrastrar por ellas, busca nuevas formas de ver su realidad. Explora qué opciones tiene de empezar a hacer cosas diferentes para salir del problema, y responde a preguntas que no se está haciendo, del tipo:

- *¿Qué es lo realmente importante para esta persona?*

- *¿Qué haría si no tuviera miedo?*

- *¿Qué le dice su parte más valiente?*

- *¿Cómo se sentiría si se dejase llevar por ella, aceptando la incertidumbre como parte del proceso?*

Te recomiendo escribir tus respuestas en una hoja, y anotar qué decides hacer con esta información, sabiendo que la indecisión es un freno para crear la vida que deseas.

Podrás utilizar este ejercicio de recurrir a tu versión «elevada» ante cualquier contratiempo que se te presente. Para que sea más fluido y no requieras ni de escribir ni, incluso, de cambiar de ubicación física, practícalo en cuanto te sientas indeciso. Las primeras dos veces te costará más y será muy importante que cambies de sillón, pero luego irás cogiendo mayor facilidad para adquirir una visión global sobre tus problemas, sin necesidad de acordarte de la mecánica del ejercicio.

Nota mental:

✓ Cada decisión que tomo es un acto de creación.

✓ La decisión más importante de mi vida es la de ser lo que realmente soy. Cada decisión que tome me ayudará a descubrirlo. La indecisión es lo único que no me ayuda.

4

APRECIAR EL CAMBIO

Aprender a decidir es aprender a romper tus propias inercias,
superando las limitaciones que tú mismo te creaste.

LA RESISTENCIA AL CAMBIO

Desde que naciste, no has dejado de crecer. Tu físico ha ido cambiando, pero también tus pensamientos, tus valores, tus objetivos... El **cambio** es una constante en tu vida. Y, sin embargo, en muchas ocasiones te resistes a él.

Es humano. El primer gran acto que realizamos, el de abandonar el vientre de nuestra madre, ya nos incomodó ¡y mucho! Llegamos a un entorno mucho más frío y hostil que aquella placenta en la que tan a gusto estábamos.

Desde aquel momento, todos hemos vivido cambios que nos hicieron sufrir. Si te paras a pensar, ¡es normal que no nos gusten los cambios! Pero, por otro lado, la vida nos pone en situaciones que deseamos cambiar, y que para que ese cambio se produzca, necesitan de nuestra acción.

Algunas personas, llegadas a este punto, toman las decisiones necesarias y hacen el cambio sin sufrir. Tienen una mentalidad en la que el cambio no es algo peligroso. Tengo un amigo al que no le cuesta nada cambiar de lugar de residencia. Cada cierto tiempo siente que necesita un cambio y lo hace. A mí me pasaba todo lo contrario: al pensar en una mudanza se me ponían los pelos de punta. Tenía asociado el concepto de cambio de domicilio a estrés, agotamiento, miedo a lo nuevo...

Muchas veces sentimos que necesitamos un cambio, pero no sabemos cómo hacerlo. O sí sabemos, pero nos cuesta dar los pasos necesarios para conseguirlo. Iniciamos así un proceso de **resistencia al cambio** que nos mete en una espiral de estrés y pérdida de confianza en nuestra capacidad de lograr lo que deseamos.

Fíjate si está generalizada la resistencia al cambio que una de las formas que tenemos para hacer ver el cariño que tenemos a alguien es utilizando la expresión «no cambies». ¿Te suena? Yo recuerdo que me la decían en esos momentos en los que te despides de personas que has ido conociendo por el camino, como un viaje, unas vacaciones de verano, un puesto de trabajo... Tengo varias tarjetas de felicitación en las que aparece la frase «no cambies», y estoy seguro de que yo también se lo he dicho a alguien más de una vez.

Nos cuesta aceptar el cambio como algo natural y positivo. Cuando nos gusta algo, queremos que sea así para siempre. Como si nosotros no fuésemos a cambiar. Como si el potencial de esa persona a la que le pedimos que no cambie tuviese límites.

Hay otra expresión que puede que utilices cuando te planteas realizar un cambio en tu vida y que es también muy limitante: el terrible «no puedo». Cada vez que dices esas dos palabras juntas, tu cerebro deja de ayudarte. Es como si se paralizase. Al realizar esa sentencia, creyéndote que no puedes, estás enviando un mensaje a tu cerebro diciéndole que ya no necesitas que utilice sus capacidades para apoyarte. Te estás resistiendo al cambio pensando que no puedes porque, en el pasado, no has podido hacer esa u otras cosas similares.

Sin embargo, hay otra forma de utilizar tus neuronas: asumiendo que sí puedes y que lo único que te falta es saber el cómo. Cuando te preguntas: «¿De qué otra forma puedo intentarlo?», se quita la resistencia y tu cerebro actúa de una forma muy diferente. Se pone a trabajar para recordar aprendizajes y recursos que ya tienes, experiencias que ya has vivido y posibilidades que no habías valorado. Con todo ello, tus circuitos neuronales se activan para ayudarte a alcanzar tu deseo.

EJERCICIO: DERRIBA TUS EXCUSAS

Reflexiona sobre estas preguntas:

- ✓ *¿En qué área de tu vida podrías decirte: «Si me diese permiso para cambiar, me sentiría mejor»?* Ejemplo: en mi área profesional.

- ✓ *¿Cuáles son tus «no puedo»?* Por ejemplo, no puedo empezar una nueva profesión.

- ✓ *¿Cuáles son tus excusas?* Ejemplo: soy demasiado mayor, ya no tengo tiempo para estudiar, sin un título universitario no puedes hacer nada...

Ahora, para salir del bloqueo que te impide darte más amorcito a ti mismo, da los siguientes pasos:

1. Decide **qué** pequeño cambio quieres realizar cuanto antes. Ejemplo: saber más sobre el proceso para descubrir mi vocación.

2. Busca **cómo** hacerlo. Investiga, innova, pregunta, observa, imita... Hay muchos cómos.

Lo importante de este ejercicio es que hayas hecho el proceso adecuado: primero decidir **qué** quieres, y después preguntarte **cómo hacerlo**. Si lo hicieses al revés, si empezases preguntándote el cómo, tu mente te llevará a convencerte de que no sabes y, por tanto, no puedes.

Nota mental:

✓ Antes de preocuparme por cómo lo voy a conseguir, necesito dar prioridad a lo que deseo.

TODO CAMBIO REQUIERE REINVENCIÓN

Cuando te sientes inseguro, confundido o frustrado, más que resistirte al cambio alimentando tu desconfianza en ti mismo, lo que necesitas es entender el beneficio de esa situación. Y no es otro que hacerte ver que es hora de reinventar una parte de ti, cambiando algo en un área de tu vida. ¡Qué gran momento! Y qué gusto que todos tengamos la posibilidad de ir reinventándonos cada cierto tiempo. Eso sí, hay un requisito para realizar esta reinvención que necesitas y es mantener un área de tu cerebro activa: la que gestiona tus sueños de vida.

El motor de la vida son los sueños.

Tomar buenas decisiones requiere tener presentes tus sueños.

Sin sueños, sin deseos de vivir ciertas cosas, se hace más difícil alejarse de la insatisfacción, del estrés y de otros ladrones de la felicidad. Y también ocurre al contrario: cuando atraviesas temporadas con problemas emocionales o de salud, te cuesta enormemente darles importancia a tus sueños. Por eso, estar abierto a reinventarte es clave para no descartar opciones y poder así tomar las mejores decisiones.

Cada vez que reinventas una parte de ti, estás abriendo las puertas a que la **innovación** entre en tu vida. Imagina que tu vida fuese una empresa, como Apple, por ejemplo. ¿Qué hubiese sido de ellos si no se hubieran reinventado continuamente, manteniéndose abiertos a la innovación? Tu vida también es tu empresa, y tiene que darte beneficios. En este caso, los beneficios tienen forma de momentos de felicidad y satisfacción interior.

No creas que estamos hablando solo de grandes cambios innovadores. Por supuesto, los pequeños también cuentan. Cada uno de ellos te aleja un paso más de donde no quieres estar. Cada paso va a hacerte sentir de una forma diferente, te va a aportar sensaciones novedosas quizás muy olvidadas para ti.

En ocasiones, te puede parecer que realizar un determinado cambio supone un peligro. Ese peligro, que te genera miedo y te paraliza, está amplificado por el riesgo que ve tu mente subconsciente de dejar atrás lo aprendido. Tu mente detecta que puedes perder la estabilidad que tanto te ha costado conseguir en esa área de tu vida.

A veces necesitas sacrificar estabilidad para conseguir felicidad.

Aunque esa estabilidad no te aporte felicidad, para tu mente es algo que le facilita mucho el trabajo. Por eso, tener presente lo que esa reinvención te puede acercar a tus sueños te ayudará a combatir el miedo.

Y es que toda decisión tiene una influencia emocional. Las emociones que se generan, consciente o inconscientemente, en tu organismo son las que toman la decisión de qué hacer con tu vida, si cambiar o si seguir como hasta ahora. Si tu mentalidad te lleva a generar miedo, tristeza o culpa, te resultará muy difícil cambiar tu situación. Por eso, para poder tomar decisiones desde la libertad, es importante que dirijas tu atención a las posibilidades que aparecerán gracias a tu reinvención. Ahora lo vamos a ver y practicar.

Nota mental:

✓ Nunca es demasiado tarde para reinventar una parte de mí, y nunca es tan peligroso como creo. Es más peligrosa la insatisfacción de no haberlo intentado.

Siempre que sientas que te estás resistiendo a algo, desde aceptar una decisión de tu pareja hasta resistirte a crear una rutina de ejercicio físico, pregúntate estas dos cosas:

- *¿En qué puedo innovar que me ayude a sentirme mejor con esta situación?*

Por ejemplo, aceptar que apoyar la decisión de tu pareja/hijo/amigo... es lo mejor que puedes hacer para demostrarle que le quieres puede ser una gran innovación en un momento determinado.

En el caso del ejercicio físico, puedes innovar cambiando de horario, de actividad, de música, de profesor...

- *¿Cómo me sentiré cuando haya incorporado esta innovación en mi vida?*

Posiblemente te des cuenta de que, tan solo imaginándolo, tu cuerpo pierde tensión y comienzas a sentir una relajación mental que te hace esbozar una sonrisa. Dale importancia a esa emoción y convéncete de que mereces sentirla más a menudo.

Nota mental:

✓ Resistirme al cambio supone negar que haya una mejor versión de mí mismo para superar un reto que tengo. Y eso es... ¡mentira!

NECESITAS RECARGAR LAS PILAS

Bien, vamos teniéndolo claro. Todo parece indicar que para salir de épocas en las que tu mente genera síntomas como estrés, insomnio, ansiedad, agotamiento..., además de estrategias como meditar, hacer ejercicio, tomar infusiones y otras cosas que pueden ayudar, necesitas realizar algún cambio o innovación en tu vida que te haga recuperar tu equilibrio interior.

Cuando aceptas que necesitas ese cambio, y te propones tomar una decisión, tu cerebro actúa como una máquina del tiempo. En primer lugar, se va al pasado y revisa que lo que ya has vivido esté relacionado con el tema sobre el que tienes que decidir —todo lo relacionado con tu autoestima está siempre incluido—. En segundo lugar, viaja al futuro y crea diferentes escenarios posibles de lo que podría suceder en función de las diferentes opciones que estás valorando.

El resultado de ambos viajes está muy influenciado por la información que tienes almacenada en tu cerebro. Tus creencias, esas ideas que has aceptado como verdades sobre ti y sobre el mundo, influyen directamente en cómo valoras cada opción que tienes. Por mucha información externa que quieras conseguir para tomar una decisión, tienes que contar con que tu elección nunca va a ser del todo objetiva. Siempre va a estar influenciada por la información previa que había en tu mente. Por ello, cuanto mejor conozcas y selecciones la información que maneja esa batidora de información que es tu mente, mucho mejor.

Tomar una decisión es elegir entre varias películas que has imaginado. Cuanto mejor imagines, mejor decidirás.

Tu capacidad para imaginar escenarios que te favorezcan está directamente relacionada con tu mentalidad. Si te relacionas positivamente con la imagen que tienes de ti mismo (tu jardín interior), si has cuidado tu forma de establecer relaciones (tu jardín compartido) y si has aprendido a manejarte con el fluir de la vida (tu jardín exterior[3]) , tendrás más facilidad para crear un escenario que te aporte felicidad e ir a por él. Sin embargo, cuando tu autoestima está baja y mantienes unos patrones limitantes aprendidos en el pasado, te resulta más difícil crear una opción que te haga sentir cosquillas y te impulse a conseguirla.

Por eso, es importante que utilices recursos en tu día a día que potencien una mentalidad saludable, aunque no tengas a la vista una gran decisión. Tienes múltiples propuestas en mi libro *Mente, ¡déjame vivir!,* algunas tan sencillas de aplicar como recordarte cada noche tres cosas por las que te sientes orgulloso.

Todo ese proceso que hace tu mente a la hora de tomar una decisión supone un importante gasto energético. Tu cerebro requiere mucha energía para ello, y esa energía, como bien sabes, es limitada. Cada noche recargas tu batería, pero cuando estás dándole vueltas a un tema, tu cerebro consume gran parte de ella, aunque no seas consciente de ello. Hasta que no tomes una decisión, no tendrás disponible toda tu energía para emplearla en las cosas que tienes que hacer.

Este pequeño detalle es el responsable de que muchas veces llegues a **tomar una decisión por puro agotamiento**. No te queda energía para complicarte la vida, así que terminas haciendo lo más sencillo. ¿Imaginas cuál suele ser la decisión más fácil? Seguir igual que como estabas.

Puedes estar superincómodo en tu trabajo, con poca vidilla en tu pareja o con un estilo de vida que te tiene aburrido. Da igual. Eres perfectamente capaz de seguir así por mucho tiempo. ¿Por qué? Porque tomar la decisión de seguir igual te permite frenar la pérdida de energía que sufres cada vez que entras en el bucle de pensar qué puedes hacer para salir de donde estás.

No permitas que el agotamiento mental sea quien dirija tu vida.

---

3   La estructura de los jardines se explica en el primer libro del autor, Mente, ¡déjame vivir!

No pierdas tu valioso tiempo en una situación que no te hace sentir bien. No te demores. Eres tú quien puede buscar opciones que despierten tu ilusión y pasión. Lo demás es conformarse.

Esto no quiere decir que siempre haya que tomar una decisión que cambie las cosas. Hay circunstancias en las que la mejor opción es tomar la decisión de esperar. Decirte a ti mismo que, hasta que acabe tal situación o llegue tal fecha, no tomarás una decisión ya es tomar una decisión que te permitirá poner fin a ese agotador Pepito Grillo que bombardea tu cabeza. Eso sí, es necesario acotar la espera: pon una fecha para volver a replantearte tu situación.

Tener una estrategia para tomar decisiones te ayudará a evitar agotarte y perder tiempo y energía. En la segunda parte de este libro vas a encontrar el método que utilizo para ayudar a mis clientes a tomar sus decisiones. Se trata de tener presente cinco aspectos clave que actúan de faro y te dan claridad a la hora de elegir.

Adquirir un método para tomar decisiones mejorará tu forma de diseñar tu vida y la energía que tienes para disfrutarla.

Nota mental:

✓ Tener claridad sobre cómo tomar decisiones me permite cuidar de mi energía y mi salud.

TU CEREBRO ANTE EL CAMBIO

Tu cerebro funciona gracias a millones de neuronas interconectadas. Para simplificar, podemos decir que se organizan por áreas y que cada una de estas se dedica a una o varias funciones. Las tres áreas principales que influyen a la hora de gestionar un cambio y tomar decisiones son la amígdala, el núcleo accumbens y la corteza prefrontal. Los dos primeros constituyen la parte más inconsciente del proceso, mientras que la corteza prefrontal gestiona el proceso mental que tú realizas.

Así que tenemos dos grandes fuerzas: una que nos lleva a actuar de manera más instintiva, y la otra más reflexiva. Para tomar buenas decisiones, necesitas prestar atención a ambas partes, no puedes descuidar ninguna.

Dentro de la parte que te lleva a funcionar por instinto está la **amígdala** cerebral, que se encarga de valorar si las opciones que analizas suponen una **amenaza** para ti. Esa valoración, recuérdalo, está influenciada por el filtro que creaste en el pasado.

Como no podríamos avanzar valorando únicamente los peligros, también se activa otra región del cerebro: el **núcleo accumbens**. Tiene la función de evaluar el **placer** que obtendrías con cada una de esas posibles opciones que barajas. Participa en un interesante proceso en el que tu cerebro busca una recompensa para cada una de tus acciones.

Como ves, tu parte más inconsciente trata de que decidas teniendo en cuenta dos simples criterios: el **dolor** que puedes vivir con cada opción y el **placer** que puedes obtener con cada decisión que tomas.

Pero, ¡ojo! No es lo mismo placer que felicidad. Para que puedas tener más presente esta importante diferencia entre placer y felicidad, te comparto este breve resumen con las diferencias principales. Lo que marca la diferencia es el neurotransmisor al que están asociados: el placer a la dopamina y la felicidad a la serotonina.

PLACER (dopamina)	FELICIDAD (serotonina)
Es adictivo.	No es adictiva.
Dura poco tiempo.	Mayor duración.
Insaciable: hace que sientas que ya estás bien, pero quieres más.	Saciable: sensación de ya estar bien y ser suficiente.
Su exceso genera adicción.	Su defecto favorece la depresión.
Se suele obtener en solitario (comer, beber, fumar...).	Se suele obtener compartiendo momentos con otros.
Te anima a querer recibir.	Te anima a querer ofrecer y dar.
Genera alegría para el cuerpo.	Produce alegría para el alma.

Fíjate que ya hemos visto dos de las tres áreas cerebrales con las que decidimos, y ninguna de ellas tiene en cuenta la felicidad a la hora de tomar decisiones. El placer que busca este núcleo de nombre tan raro es el de satisfacer una necesidad que tiene tu organismo. Es, por tanto, una mirada a corto plazo. No valora si después de cubrir esa necesidad tu estado de bienestar va a ser mayor o menor. Es por eso que, a veces, decides cosas como tomar algo que sabes que no es bueno para ti o quedarte sentado en el sofá en vez de ir a hacer algo de ejercicio físico.

Tu cerebro es capaz de priorizar el placer, alejándote de la felicidad.

Si tu cerebro decidiese solo con estas dos áreas, funcionarías con un piloto automático que te haría huir de aquello que te ha provocado dolor en el pasado, buscando aquello que te ofreció placer a corto plazo, aunque sea algo negativo.

Como imaginarás, con este sistema tan simple el ser humano no habría tomado decisiones que le llevasen a avanzar como lo ha hecho a lo largo de la historia. Todos los hitos conseguidos en campos como la medicina, las tecnologías y otros se han logrado gracias a que muchas personas tomaron decisiones que les aportaban felicidad: guiarse por su pasión y su misión de vida.

Es aquí cuando entra en funcionamiento la tercera área del cerebro, la que constituye la parte consciente: la **corteza prefrontal**. Con ella, diriges la principal herramienta que tienes para decidirte por una opción u otra: tu **atención**. De todo lo que te pasa y lo que te puede pasar con cada opción que elijas, tú enfocas tu atención en algo concreto.

Veamos un ejemplo para ver el papel de cada parte: imagina que llegas a casa después de trabajar, agotado y hambriento. Puedes abrir una cerveza y unas patatas fritas o puedes tomar una fruta.

Tu amígdala te diría: «No hay peligro, ya has tomado cerveza y patatas fritas en otras ocasiones, y no te ha pasado nada».

Tu núcleo accumbens recordaría que las patatas fritas tienen aditivos con mucha capacidad de satisfacer a tus sentidos, generándote placer. También te animaría a tomar este aperitivo.

Y, por último, entras tú en juego actuando con tu corteza prefrontal, decidiendo dónde llevas tu atención. Puedes centrarla en lo bien que te vas a sentir disfrutando de tu cerveza y tus patatas, o en lo coherente que te va a hacer sentir tu compromiso con el cuidado de tu alimentación —en el caso de que ese autocuidado sea uno de tus valores actuales—. Así que tu atención se dirigirá a lo que más valores en tu vida.

Muchas personas aprendimos a valorar mucho la información externa a nosotros. Nos fijamos en los datos objetivos que nos aportan desde fuera, las opiniones de las personas que nos importan, los criterios socialmente aceptados para esa situación, etc. Sin embargo, se nos olvida con facilidad que hay algo muy importante a lo que también podríamos dirigir nuestra atención: la coherencia interior.

Vamos a hablar mucho sobre esta coherencia en la tercera decisión que importa. De momento, quiero que recuerdes esto:

Si mantienes tu atención en aquello que te hace sentir coherente contigo mismo, tus decisiones irán en la dirección correcta.

Necesitas priorizar esa coherencia, por encima de opiniones externas. Por ejemplo, imagina a una persona que quiere reinventarse profesionalmente. Es muy posible que dar pasos para vivir de su pasión le diese mucha coherencia interior. Sin embargo, no lo hace porque sabe que daría un disgusto a sus padres. El miedo a hacer sufrir a sus padres puede hacer que esa persona tome la decisión de seguir dejando pasar el tiempo.

En muchos momentos necesitas dirigir tu atención hacia tu propio bienestar. Tu coherencia está por encima del sufrimiento de los demás. No es sano valorar más a los demás que a uno mismo. Tienes derecho a buscar tu propia felicidad y, desde ahí, aportarles a ellos bienestar, ejemplo e inspiración.

EJERCICIO: VISUALIZACIÓN CREATIVA

Para ayudar a tu sistema nervioso a dirigir tu atención a aquello que te aporta coherencia, dispones de algo muy potente: tus emociones.

Si tu cerebro registra que hay emociones positivas asociadas a una determinada opción, te facilitará el camino para que avances hacia ella.

Por tanto, es importante anticipar esas emociones. Si te quedas en las emociones que sientes ahora, al debatirte entre una opción u otra, es muy posible que te bloquees, ya que la mayoría de las decisiones importantes nos generan la emoción de miedo. Y el miedo paraliza. Por eso te hablo de anticipar emociones: consiste en sentir por adelantado las emociones que sentirías si estuvieses viviendo cada una de las opciones sobre las que quieres decidir.

No es un ejercicio de adivinar el futuro —te aseguro que no tengo una faceta oculta de «pitoniso»—, por el contrario, te estoy animando a utilizar una posibilidad que te regala el desarrollo del sistema nervioso de los humanos: ¿Sabías que todo aquello que imaginas tu cerebro lo vive como real? A efectos emocionales, no es capaz de diferenciar entre imaginación y realidad. Esto, bien utilizado, te ayuda muchísimo, ya que te permite observar cómo te sentirás en uno u otro escenario, y generar el estado emocional adecuado para tomar la decisión que mejores emociones te genere.

Créeme que esta cualidad de tu cerebro ya la utilizas. Siempre que sufres anticipándote a algo, estás bajo los efectos de este proceso, pero, claro, de esa forma no te ayuda. Hay otra forma de utilizarla, mucho más beneficiosa para ti: la visualización. Consiste en **crear en tu mente el escenario que a ti te gustaría vivir**, dirigiendo tu atención a esa escena y retirándosela a todos los «peros» que tu mente te muestra.

Para realizar este ejercicio, primero necesitas hacer unas respiraciones profundas, para alcanzar un estado de calma. A partir de ahí, debes mantener tu atención en crear todos los detalles posibles de la situación que te gustaría vivir en cada una de tus opciones. Tu mente querrá escaparse, decirte que es algo absurdo o que es una pérdida de tiempo. Ahí estarás tú para mantenerte firme y volver a ese escenario que te gustaría vivir. Recuerda que esto es un entrenamiento. Recrea con todo lujo de detalles lo que te llevaría a vivir esa opción, viviéndolo como si ya estuviese pasando: en qué lugar estás, qué objetos te rodean, con qué personas lo compartes, qué les dices, qué comentan de ti y, lo más importante, qué emociones sientes. Realiza este ejercicio con las diferentes opciones que tienes, y observarás que hay una de ellas con la que te resultará más fácil sentirte mejor que con las otras. Ya tienes más información sobre qué decisión tomar.

Nota mental:

✓ Resistirme al cambio supone negar que haya una mejor versión de mí mismo para superar un reto que tengo. Y eso es... ¡mentira!

CUANDO QUIERES Y NO QUIERES

Una vez que ya has decidido cambiar algo en tu vida, pueden aparecer dos posibilidades que te limitan:

1. No sabes qué cambio introducir.

2. Piensas que ya estás haciendo todo lo posible por cambiar.

Para resolver la primera opción, vas a conocer las cinco decisiones que importan: te ayudarán a tener más claridad.

Para la segunda, necesitas saber que... ¡pueden estar pasando varias cosas! No solo existen dos opciones: cambiar o no cambiar.

Existe una tercera posibilidad, y es una gran trampa en la que puedes estar cayendo. Por tanto, ante una situación de malestar, tienes tres opciones, y solo una de ellas te llevará a salir de ese sufrimiento. Vamos a verlas.

1. QUIERO, PUEDO Y VOY

La primera opción es hacer el cambio que, en tu interior, sabes que necesitas. Cuando eliges esta opción es porque tu mente le está dando un significado correcto al cambio: lo está viendo como una evolución, y no como un punto y aparte.

Verlo como el final de una etapa puede suponer un freno, puede darte la sensación de que has perdido tu tiempo, tu energía, tu amor... Esto es irreal, ya que nunca se pierde lo vivido. Por ello, para facilitarte cualquier decisión necesitas entender que **el cambio es una evolución**. Vas a mantener lo vivido hasta ese momento, nunca lo vas a perder. Siempre te servirán los aprendizajes que has ido realizando. Por eso, más que cambiar o sustituir algo, se trata de avanzar y evolucionar hacia un estado mejor.

UN CASO REAL DE MI VIDA

Una de las primeras veces que yo elegí esta opción fue cuando tenía 18 años. Tocaba elegir carrera para estudiar en la universidad. Yo tenía buena nota y podía elegir diferentes estudios en la ciudad donde había vivido toda mi vida, Santander. Sin embargo, tenía claro que quería estudiar Fisioterapia, una carrera que no estaba en la Universidad de Cantabria. Así que tenía que hacer un cambio importante.
Tocaba abandonar todo lo conocido e irme a una ciudad que no conocía, a 800 kilómetros de distancia. Los mensajes que recibía de mi entorno me planteaban que por qué irme tan lejos, que estudiase Medicina en Santander y que todo sería más fácil y con mejor futuro. Tenían razón en que, al principio, iba a ser duro. Dejaba atrás mi ciudad, mi familia y amigos..., y no tenía ni idea de lo que me iba a encontrar. Pero en mi interior sabía que aquella experiencia me iba a

beneficiar. No solo por estudiar lo que quería —en realidad no sabía muy bien si me iba a gustar—, sino por lo que suponía de innovar y de conocer algo diferente a lo que ya había vivido hasta ese momento. Además, tenía claro que nunca iba a perder el amor de las personas que dejaba en mi ciudad. No había pérdida, había evolución.

Por tanto, esta primera opción es decidir cambiar, marcándote un nuevo objetivo y avanzando hacia él. Con acciones concretas. Tu decisión no se queda en la teoría, sino que va asociada a hechos reales.

Sin acción no hay transformación.

Perder peso, cuidarte más, cambiar de trabajo, dedicar más tiempo a tu pareja..., cualquier cambio que te propongas tiene una serie de acciones que te llevarán a conseguirlo. Cuando hayas realizado la primera de ellas, tu decisión estará en marcha; será una decisión verdadera. A partir de ahí, el compromiso contigo mismo pasa a ser tu compañero y este te ayudará a ir reconociendo la evolución que estás realizando.

2. LA EVASIÓN

La segunda opción es evadir el problema. Consiste en convencerte de que, en el fondo, **lo que te molesta no es tan importante**. Decides que tu vida puede mejorar manteniendo esa área de tu vida como está. Es un engaño inconsciente, ya que te autoconvences de que lo que necesitas es hacer cambios en otras áreas de tu vida. Todos lo hemos hecho alguna vez. Nos apuntamos a un nuevo curso, comenzamos a practicar una nueva actividad... y así vamos poniendo parches.

Cuando actúas así, estás tratando de insensibilizarte ante tu problema, quitándole importancia para no sentir el dolor que te produce. El resultado es que te quedas como estabas en relación a tu problema. A pesar de estar haciendo cambios en tu vida, sigues sintiéndote mal. Es como cuando te duele una muela y tu única decisión es tomar antiinflamatorios. Te pueden ayudar un tiempo, pero al evadir el problema, la cosa se va a poner seria.

EL CHICO DE DUBÁI

Uno de los primeros lectores que me contrató para realizar un proceso de coaching después de leer Mente, ¡déjame vivir! vivía en Dubái. Había decidido irse allí, desde España, hacía cinco años. Trabajaba en el sector turístico y se trasladó por las oportunidades profesionales que le ofrecían. Sin embargo, los dos últimos años se sentía mal. Estaba consiguiendo su objetivo profesional, pero se encontraba cada vez más triste. No era del todo consciente de que el hecho de ser homosexual en un país donde se imponen penas de cárcel por mantener relaciones estaba muy relacionado con su tristeza. Pero sí sabía que se sentía muy limitado para vivir con naturalidad.

Tenía claro que no era lo que deseaba para su vida, pero no se atrevía a tomar la decisión que, en el fondo de su corazón, deseaba tomar para acabar con aquello: cambiar su país de residencia. En el proceso, se dio cuenta de que su estrategia para evitar dejar Dubái había sido realizar otros cambios. Por un lado, cambiar varias veces de puesto de trabajo, adquiriendo cada vez más responsabilidad. Por otro, cambiar su físico, acudiendo casi todos los días dos horas al gimnasio. Durante el proceso tomó conciencia de que quería salir de allí, pero había estado valorando más el dinero que su propia felicidad, y había tomado decisiones para autoengañarse durante mucho tiempo.

Este es un ejemplo de cómo la mente nos engaña, haciéndonos creer que estamos tomando decisiones para cambiar una situación que nos hace sufrir y, sin embargo, lo que hemos decidido, inconscientemente, es seguir igual en el área donde tenemos el problema.

3. EL AUTOSABOTAJE: SÍ, PERO NO

En general, la evasión es la primera que utilizamos ante un problema. Cuando llevamos un tiempo viendo que eso no funciona, es cuando nos tomamos más en serio la situación y damos un paso más.

Es ese momento comenzamos a leer un libro de crecimiento personal, vamos al psicólogo, nos apuntamos a un curso para aprender algo o, incluso, cambiamos de trabajo o de pareja. Sentimos que ya estamos en el camino y que esto debería funcionar. Sin embargo, son muchas las veces que vemos que todo lo que hacemos no nos da resultado. Entonces empezamos a creer que no sabemos tomar decisiones, o que no somos capaces de ser constantes y de querernos lo suficiente.

Comienza un autocastigo interior que desgasta muchísimo. Si has sentido esto alguna vez, tranquilo, no es que no sirvas para tomar decisiones ni que estés evadiendo el problema. Lo que ocurre es que tu mente te ha llevado a la tercera opción, la del «sí, pero no». Sí, quieres cambiar, pero **inconscientemente decides no hacer lo que realmente tienes que hacer para conseguirlo**.

Esta opción es la del «quiero, pero no quiero»: el conocido autosabotaje. La diferencia con la anterior es que en este caso sí que haces cosas para cambiar, pero no las más importantes en cada momento.

Esta tercera opción puede estar presente en algunos de tus objetivos, como mejorar tu nivel de bienestar a través de tu alimentación o del ejercicio físico. Quizá estás tomando algunas medidas, pero no las que tú más necesitas para conseguir los resultados que deseas en el tiempo que te gustaría.

Esta trampa es difícil de detectar por uno mismo. Va en contra del juego mental que nos hemos montado. Por eso es tan bueno tener a ese amigo, familiar o profesional que te haga ver cómo te estás autosaboteando.

Lo que hacen cuando te dan ese toque de atención es mostrarte que estás en esa tercera opción, la del sí pero no. A ti te parecía que estabas haciendo algo para alcanzar tu objetivo, pero la realidad es que hay otras cosas que deberías estar haciendo si realmente deseas conseguirlo. ¿Te has parado a pensar cuánto tiempo puedes ganar desde el momento en que te das cuenta de esto?

Cuando estamos en esta opción, utilizamos mucho el verbo intentar. «Lo estoy intentando», oigo a menudo en mis sesiones de *coaching*. Este verbo no te ayuda a avanzar. Porque hay muchas formas de intentar hacer algo. Algunas tienen más probabilidad de éxito que otras, pero todas te ayudan a calmar tu mente y sentirte bien a corto plazo. Sabes que, al menos, lo estás intentando.

Intentar hacer algo no es lo mismo que hacerlo.

MI AUTOSABOTAJE CON EL PRIMER LIBRO

Esta opción fue la que yo elegí cuando acabé de escribir mi primer libro y tenía que autopublicarlo. Caí en un autosabotaje tremendo. Daba pequeños pasos para ir avanzando en el proceso, como pedir presupuestos para diseñar la portada y maquetar el libro, leer mucho sobre autopublicación, ver vídeos y hacer un curso de ese tema. Realmente, todo eso estaba bien, pero había algo que aún no había hecho y que era más importante para seguir avanzando: dar por finalizado el manuscrito y enviarlo a maquetación.

Hacer esto implicaba asumir que ya no lo podía mejorar más, que estaba conforme con el resultado y que asumiría todas las críticas que me llegasen por no haberlo mejorado un poco más. Ese era mi miedo: las críticas. Así que ahí estuve yo, varios meses intentando avanzar en mi propósito de autopublicar, pero alargando el proceso más de lo necesario. No me sentía del todo bien, pero me tranquilizaba pensando que estaba haciendo otras cosas importantes.

Cuando reconoces qué miedo te paraliza, puedes dejar de «intentarlo» y pasar a hacer aquello que deseas.

> **Nota mental:**
>
> ✓ Mantente alerta, [tu nombre]. Puede que creas que ya estás cambiando, pero en realidad estás en un «sí, pero no».

Para ayudarte a salir de la **evasión** y del **sí, pero no,** te ofrezco este sencillo razonamiento que a mí me ayuda. Te animo a ponértelo a la vista durante un tiempo, por ejemplo, de fondo de pantalla, compartiéndolo en tus redes sociales o llevándolo escrito en tu cartera. Cada vez que lo leas, estarás activando a tu mente para evaluar qué autosabotajes mantienes activos.

**Mañana, tú serás exactamente
la misma persona que eres hoy.
Esto pasará cada día.
Por tanto, el resto de tu vida es una proyección
de quien tú eres hoy.
Si tú cambias hoy, mañana será diferente.
Si no cambias hoy, el resto de tu vida está
predeterminado.**

ESTÁS POSPONIENDO TU FELICIDAD:
LA PROCRASTINACIÓN

Puede parecer que sabotearse a uno mismo no es tan grave. Sin embargo, una de las consecuencias más graves de mantener un autosabotaje es la **crisis de identidad.** Consiste, básicamente, en pensar de ti mismo que no vales, que no te conoces o que no mereces más de lo que tienes. En definitiva, que no te gustas ni te aceptas a ti mismo. Veamos el proceso:

Piensa en un proyecto, deseo o situación en la que te estás saboteando. Por un lado, eres consciente de tus deseos, tus objetivos, tu necesidad de cambio...; y por otro, ves que no estás consiguiendo alcanzar tu situación deseada. Esto va generando en ti un estado de **frustración y baja autoestima**. Con estos dos ingredientes, te resulta cada vez más difícil sacar la energía y motivación para resolver esta situación. Y esto te lleva, inconscientemente, a caer en el **conformismo** y en la **culpabilidad** de ser como eres y de no poder tomar buenas decisiones que te saquen de donde estás.

De este proceso no te das cuenta. Se va fraguando poco a poco y, si no lo descubres, va debilitando lo más importante: el amor a ti mismo y tu autoestima.

El conformismo y la culpabilidad son los pilares que sustentan las crisis de identidad.

Ahora viene lo bueno. ¿Qué puedes hacer para romper ese ciclo y evitar ese daño a tu identidad? La respuesta pasa por evitar la conducta que lo perpetúa: **la procrastinación.**

¿Qué significa «procrastinar»? Consiste en ir posponiendo las cosas que sabes que tienes que hacer para sentirte mejor, esas que te ayudarían a estar más tranquilo y a acercarte a tus objetivos. En lugar de hacerlas, encuentras mil excusas para dejarlas para otro momento.

Sin ser demasiado consciente, estás conformándote con la situación que tienes. Vas dejando pasar el tiempo y, cada vez, estás más enganchado al confort. Más que confort, comienzas a sentirte incómodo y culpable por no haber conseguido mejorar tu situación. ¡Tienes que pararlo!

MI AMIGO PROCRASTINADOR

Tengo un amigo que se dio cuenta de que procrastinaba, y mucho, cuando cumplió sus cuarenta años. Para él fue una liberación enten-

der que el estrés con el que vivía casi todas sus tareas cotidianas se debía a este hábito. Había aprendido a procrastinar hacía mucho tiempo y se había acostumbrado a hacer las cosas bajo presión. Eso, cuando estás en la universidad, puede llegar a funcionar. Pero cuando tienes un trabajo e hijos pequeños, genera muchísimo estrés que se podría evitar con una planificación.

Cuando decidió cambiar esto, y organizar su semana, se dio cuenta de que había otras causas detrás de esta procrastinación. No se permitía sentirse bien con él mismo, tener éxito y vivir tranquilo. Nunca lo había hecho porque de pequeño nunca lo había experimentado. Había un motivo oculto que le impedía tomar buenas decisiones: una importante falta de autoestima.

Como ves, esto de procrastinar es el resultado de un proceso mental previo. En este ejemplo, mi amigo se impedía sentirse bien consigo mismo porque en su mente subconsciente no daba valor a su propio bienestar.

No es que seas torpe o perezoso, es que tu mente subconsciente prefiere que procrastines.

Cuando detectes que estás procrastinando algo, pregúntate: ¿Qué me estoy negando a mí mismo? ¿De qué me estoy alejando? Puede ser bienestar, tranquilidad, abundancia económica, amor verdadero...

Hay que ser muy valiente para reconocer que llevas tiempo castigándote. Pero te cuento un secreto: nos ha pasado a todos. La forma en que funciona la mente facilita que pasen estas cosas: no es tu culpa. No te habían hablado de todo esto. Ahora que lo sabes, puedes dirigir tu atención a lo que deseas, utilizando tu corteza prefrontal para evitar ser manejado por ese sistema inconsciente basado en tu pasado.

Descubrir el origen de tu resistencia al cambio en un área concreta es clave para avanzar y conseguir lo que anhelas, por eso forma parte de la primera decisión. Pero antes de avanzar, te invito a realizar el siguiente ejercicio para entrenar a tu mente en esto de dejar de castigarte.

EJERCICIO: EL JURAMENTO

Este es otro de esos ejercicios muy sencillos pero muy efectivos para la mente subconsciente. El objetivo es generar un impacto, un cambio en la forma de procesar tus decisiones inconscientes.

Para ello, ponte de pie frente a un espejo, adopta la solemne postura típica de los juramentos: tronco erguido, barbilla ligeramente elevada, mano derecha elevada, doblando el codo y con la palma mirando hacia el espejo, y mano izquierda en la zona del corazón.

En esta postura vas a hacer una declaración de intenciones bajo un juramento a ti mismo. Es mucho más que hablar delante de un espejo. Imagina que detrás de ese espejo está tu mundo: las personas que quieres, tu futuro y tu vida entera.

Con toda tu determinación y compromiso, vas a expresar una declaración que te ayudará a dejar de sabotearte. Con este juramento estás decidiendo escapar de la procrastinación. Para ello, repite en voz alta, con gran convencimiento y responsabilidad, las siguientes frases:

- Hoy decido respetarme.

- Hoy paso a la acción.

- Hoy acepto las soluciones que sé que necesito.

Puedes adaptar las frases a tu manera. Además, te animo a que incluyas un gesto de certeza y seguridad, como cerrar puño o asentir con la cabeza, que aporte mayor intención a tu declaración. Lo importante es que conectes con esa parte de ti que tiene compromiso y determinación. Recuerda otras veces que te marcaste un objetivo y lo conseguiste. Esa es la parte de ti que va a realizar este ejercicio.

Una vez hecho, este juramento pasa a formar parte de tus decisiones importantes. Podrás repetirlo cada mañana, y cada vez que sientas que caes en el miedo o la frustración. Es importante que lo hagas al menos una vez, y prestes atención a cómo te sientes después de hacerlo. Estarás activando una parte de ti que quizá estaba dormida.

Para completar este ejercicio, te animo a que, después de realizar tu declaración, la escribas, y respondas a estas preguntas:

1. ¿Qué necesito eliminar para mantener mi juramento?

Por ejemplo:

Decido eliminar la importancia que le daba a los pensamientos negativos que tenía cada mañana.

Decido eliminar mi miedo a qué pensarán los demás.

Decido dejar de estresarme por cosas que no son urgentes.

2. ¿Qué agradezco que ya tengo y que me va a ayudar con mi juramento?

Por ejemplo:

Agradezco todo lo que he aprendido de mí mismo hasta el día de hoy.

Agradezco el cariño y apoyo que recibo de...

Agradezco la ilusión que me produce...

Es importante que rellenes este segundo apartado. Muchas veces nos enfocamos en todo lo que queremos dejar atrás, pero se nos olvida recuperar mentalmente lo que ya tenemos y que nos va a ayudar a ser firmes y revalidar ese juramento cada vez que las cosas se pongan feas. Por ello, anota todo aquello por lo que puedas sentirte agradecido, aunque te parezca insignificante. Muchos pocos hacen un mucho.

Vas a necesitar recuperar este juramento de vez en cuando. La procrastinación volverá a llamar a tu puerta a menudo. Pero recuerda que ahora has activado tu compromiso en este tema.

Siéntelo como si fueses padre o madre: si tu hijo se pusiese enfermo y necesitase tu ayuda, ¿dejarías de atenderle porque estuvieses cansado o te diese pereza? Pues aplícate el cuento contigo. Lo que tienes no es una motivación para cuidarle, sino un compromiso. Hay una gran diferencia. Tu compromiso es mucho más potente, ya que no es cuestionable. Mereces ese pequeño esfuerzo que supone comprometerte. Lo has hecho con el banco, con tu empresa, con tus vecinos, con tu pareja... ¿No lo vas a hacer contigo?

Nota mental:

✓ Ya no desearé más que esta situación cambie. Ahora seré yo quien cambie gracias a ella.

Y AHORA, ¿QUÉ?

Ya has visto tres factores que necesitas dejar atrás para vivir mejor: el piloto automático que te llevaba a tus malas épocas, la indecisión y tu resistencia al cambio. Sé que quieres cambiarlo y también sé que te parece difícil. Lo que te propongo a continuación es una forma diferente de pensar y de tomar decisiones. Y lo vamos a conseguir haciéndote nuevas preguntas.

La estrategia que te presento en la segunda parte de este libro no es solo un manual para cuando tengas que tomar una decisión importante, es también una forma de entender tu día a día, de verte a ti mismo y de tener unos faros a los que mirar cuando te sientas perdido. Es mi método para liderar mi vida.

Sé lo difícil que resulta confiar en uno mismo cuando llevas tiempo sin tomar decisiones importantes, o después de haber tomado alguna decisión que ha tenido consecuencias negativas. Pero toca concederse un permiso: el de confiar en ti.

La confianza no se gana después de haber tomado decisiones sabias. Es algo que debes crear antes de eso. Necesitas un acto de fe y amor hacia ti mismo, para romper con la tendencia de tu mente que te lleva a la desconfianza y la parálisis.

Las **nuevas preguntas** que vamos a tener presentes a partir de ahora son:

- *¿Qué necesito aprender de lo que he vivido hasta ahora?*
- *¿Qué quiero realmente para mi vida?*
- *¿Qué es lo que me aporta paz interior?*
- *¿Qué tengo que pensar de mí y de mi situación para resolverla como deseo?*
- *¿Cómo superar el principal obstáculo que me impide avanzar?*

De ellas surgen las cinco decisiones que importan. Constituyen los cimientos sobre los que tomar buenas decisiones.

Imagina que, para poder tomar una buena decisión, necesitas subirte a un faro. Tu faro. Y para llegar a lo más alto, desde donde se ve todo mucho mejor y se toman las mejores decisiones, hay que ascender cinco escalones. Cada uno de ellos es una decisión que importa. Y, cada una, te va a permitir tener mayor visión y más seguridad para dar salida al reto que tengas.

¿Cuáles son esas decisiones que importan?

1. Reconciliarte con tu pasado.

2. Diseñar tu línea vital.

3. Respetarte a ti mismo, priorizando tu coherencia.

4. Potenciar tu mentalidad exploradora.

5. Avanzar hacia tu miedo raíz.

¡Vamos a ver cómo te pueden ayudar!

PARTE 2

EL MÉTODO
DECISIONES QUE IMPORTAN

El método Decisiones que importan tiene dos funciones. Por un lado, es un **sistema de evaluación** de las diferentes opciones que tienes ante un problema. Para ello, cada vez que tengas que tomar una decisión importante, podrás revisar los cinco pasos y observarás qué opción se acerca más a cada una de las cinco decisiones que importan.

Imagínalo como un sistema de puntuación de cinco estrellas, como el de los hoteles. Podrás revisar cada opción, y verás cuál es la mejor para ti, en ese momento.

Además, este método tiene una segunda función. Te aporta una **forma de liderar tu vida**, en la que alejas a los ladrones de la felicidad.

Cada una de las cinco decisiones te ayuda a entenderte y a sentirte bien contigo mismo, saliendo del matrix mental que elaboraste en las primeras décadas de tu vida y que te dificulta crear la vida que deseas.

**Las cinco decisiones te ayudan a valorarte,
a quererte y a crear tu propia felicidad cada día.**

Al integrar estas decisiones, tu mente mejorará tu capacidad de superar malas épocas y de afrontar con energía los retos que se te van presentando. ¡Y los que vayas eligiendo!

¡Comencemos!

DECISIÓN 1:
RECONCÍLIATE CON TU PASADO

La vida solo puede ser comprendida hacia atrás, pero únicamente puede ser vivida hacia delante.

S. Kierkegaard

¿Alguna vez has pensado en irte a un lugar donde no te conozca nadie y comenzar una nueva vida? Yo recuerdo una época en la que esta idea rondaba a menudo por mi cabeza. Este pensamiento nos visita cuando no estamos a gusto con la vida que llevamos y, además, sentimos demasiada presión por todo lo que hemos ido acumulando en el pasado: responsabilidades, relaciones, mandatos familiares...

Esos deseos de cambiar de vida suelen esconder unas ganas locas de huir de resolver algo. Algo que mejoraría mucho tu vida, pero que no terminas de saber qué es. Cuando no lo descubres, continúas repitiendo los mismos errores del pasado, aunque te cambies de trabajo, de pareja, o te vayas a miles de kilómetros.

Por eso, el primer escalón antes de tomar una decisión es **entender tu pasado y transformarlo en sabiduría útil para tu situación actual**. Solo así puedes reconciliarte con los temas del pasado que te pueden estar limitando. Y la forma de conseguirlo es sacando provecho a todo aquello que has vivido en tu pasado: lo bueno y lo no tan bueno. A veces, tocará **desaprender cosas del pasado**. Y eso también será una enorme fuente de sabiduría.

Puedes acumular mucha información exterior sobre las diferentes opciones que tienes, pero no habrá nada tan valioso como la información que ya puedes obtener de ti mismo. Lo importante es aprender a utilizar esa información del pasado de manera que te haga sentirte libre y en paz en el presente.

CUANDO VOLVÍA A CAER EN LOS MISMOS ERRORES

Te pongo un ejemplo: después de romper con mi primera pareja, me di cuenta de que me olvidaba de mí mismo en mis relaciones. Lo hacía para tratar de que todo fuese bien en la relación. Recibí mucha información que me indicaba que eso no estaba bien: me lo decían mis amigos, lo leía en libros, enfermé por ese motivo e, incluso, entendí que eso había influido en que me dejase mi pareja. Sin embargo, cuando inicié la siguiente relación, volví a repetir los mismos patrones. Había aprendido algo, pero no lo estaba llevando a la práctica. En el fondo, no me había reconciliado con mi pasado.

Reconciliarte con tu pasado significa revisar todo lo que has vivido, encontrar los aprendizajes y ponerlos en práctica para vivir lo que realmente deseas vivir.

Esto es lo que genera **sabiduría**. No es solo experiencia, sino que incluye todo lo que pones en práctica después de las lecciones que te ha dado la vida. Evolucionar desde el aprendizaje a la sabiduría te permite transformar cualquier situación dolorosa que hayas sufrido en algo realmente útil para tu vida. Si eres una de esas personas que vivió algo doloroso en el pasado, y parece que todavía sigue influyéndote, no pierdas la esperanza. Te queda dar un paso para liberarte de esa carga: **transformar el dolor en sabiduría.**

Quizá el conocimiento ya lo tengas: sabes que eso estuvo mal, que no fue tu culpa, que no tenía que haber pasado, que no tenías recursos para reaccionar de otra forma..., pero ¿cómo lo has aplicado a tu vida? ¿Qué has hecho para demostrarte a ti mismo que esa lección ha supuesto también un aprendizaje positivo que te vuelve a dar libertad para seguir viviendo?

Cuando tu vida está alejada de tu propia felicidad, aún necesitas tomar esta primera decisión. Quizá tu pasado te ha hecho encerrarte demasiado en ti mismo. O tal vez te ha llevado a volcarte en exceso en agradar a los demás. Cuando limitas tu felicidad es que hay un dolor del pasado que no está sanado. Tu mente subconsciente prefiere que sigas sufriendo antes que abordar ese dolor.

Sanar el pasado ayuda a tomar mejores decisiones en el presente.

Cada uno de nosotros tenemos un pasado, unas experiencias vividas, que hacen que tengamos unos **pilotos automáticos** preestablecidos. Por ejemplo: cuando me piden algo, tengo que cumplir con lo que se espera de mí.

Tus pilotos automáticos se alimentan de las creencias que tienes sobre ti mismo y sobre cómo funciona la vida. Cuando entiendes el origen de toda esa información limitante, y de las decisiones que tomaste inconscientemente hace mucho tiempo, entonces se abre la posibilidad de liberarte y desaprender lo que te limita a día de hoy.

Para esto, necesitas comenzar por reflexionar sobre tu pasado. No hablo de darle vueltas a tu problema y tu situación. Se trata de revisar las cosas que habéis vivido y aprendido tu familia de origen y tú en relación con el área de tu vida en la que tienes que tomar una decisión.

Por ejemplo, si te sientes insatisfecho con tu trabajo, dedica un tiempo a descubrir tus opiniones sobre el mercado laboral, la realización profesional, la misión de vida y la abundancia. Después, mira a tu pasado y al de tu familia, y observa cómo ha sido ese pasado en el terreno profesional, y qué experiencias habéis vivido que han podido influir en que tengas esas opiniones sobre este tema, porque esas opiniones son **tu verdad**. Y si tienes una verdad que te dice que trabajar es una forma dura y rutinaria de ganarse la vida, pues te costará mucho encontrar satisfacción en esta área de tu vida. Tú puedes transformar esta información en sabiduría reconociendo que esta verdad no te ayuda y no es objetiva, y sustituyéndola por otra verdad que te ayude más.

Nota mental:

✓ Para crear con libertad el futuro que deseo, necesito entender el pasado que he vivido y desaprender lo necesario.

LA LIBERTAD DE DESAPRENDER

Imagina tu pasado como una naranja. Si exprimieses esa naranja, sacarías un apetecible zumo. Y te sobraría algo que iría directo a la basura, sin darle la menor importancia: la cáscara. Veamos qué relación tiene esto con tus decisiones.

En tu pasado hay información que te sirve para disfrutar de tu vida: lo que has aprendido que te gusta, que te hace sentir amado, que te aporta seguridad, diversión... Todo eso es positivo, y equivaldría al zumo de la naranja. Pero, además, hay otras cosas que no quieres y que desearías tirar a la basura; equivaldrían a la cáscara de la naranja. Son esas cosas que no te gusta recordar, que piensas que ya están resueltas o que deben quedar en el pasado. Pues bien, estas cosas también te son útiles. Es más, las necesitas.

En la naranja, la piel es necesaria para que se cree el zumo. De igual forma, en tu pasado hay información que es necesaria para poder vivir en el presente con la tranquilidad de tomar decisiones desde la libertad, y no reaccionando, sin saberlo, a cosas del pasado que te marcaron mucho. Por tanto, tu sabiduría aumenta cuando aprovechas tanto lo positivo como lo negativo de tu pasado.

Para poder exprimir bien el pasado, y sacar todos sus beneficios, debes tener muy presente la **ley de causa y efecto**. Su mensaje principal es que donde estás hoy es el resultado de las decisiones que tomaste en el pasado.

Sé que hay cosas que no dependieron de ti al 100 %: un accidente, una enfermedad, un abandono por parte de una pareja o una pérdida de un empleo. Por eso, a la hora de reconciliarte con tu pasado es muy importante que dirijas tu atención a lo que sí depende de ti: la interpretación que decidiste darle a lo que pasó en tu vida.

¿Y qué pasó? Aquí hay un abanico de situaciones que pudieron llevarte a aprender cosas que hoy te limitan: el divorcio de tus padres, situaciones de abuso físico o psicológico, duelos, *bullying*...

Muchas personas recuerdan una infancia feliz y piensan que, en su pasado, no hay nada destacable. Sin embargo, los **pequeños traumas** también tienen mucha repercusión en los autosabotajes que hoy nos limitan y nos hacen sentir incapaces de vivir como realmente desearíamos.

Esos pequeños traumas son situaciones que viviste cotidianamente en alguna época de tu vida. Por ejemplo:

- Tensión en el hogar por conflictos entre tus padres.
- La enfermedad de algún miembro de tu familia.
- La pérdida de un ser querido que marcó un desequilibrio emocional en las personas de tu familia, o en ti mismo.
- La pérdida de la atención de tus padres por la llegada de un nuevo hermano.
- Épocas en las que te sentías aislado debido a complejos que adquiriste por utilizar gafas, aparato en la boca, exceso de peso, desarrollo precoz, gustos diferentes a los convencionales...
- Una educación muy proteccionista o exigente.
- Poca facilidad para expresar tus sentimientos...
- ¿Te identificas con alguna?

- ¿Puede haber otra que, a ti, te haya influido?

En la infancia, la mente es frágil.
Era muy fácil que te lastimasen.

Se producen así una especie de **heridas emocionales** que generan consecuencias a lo largo de la vida. Justo en la época en la que menos recursos tenías, en la infancia y adolescencia, es cuando introdujiste en tu mente la información principal sobre cómo eres y cómo te puedes ir moviendo por el mundo.

Esas heridas que sufriste, al seguir abiertas, se manifiestan en forma de sentimientos que experimentas sin saber muy bien por qué. Quizá te sientes triste a menudo, o enfadado, o agotado por intentar demostrar que puedes con todo.

Es muy posible que no te acuerdes de cómo te sentías durante aquella época de tu vida. Esto es debido a un mecanismo que tiene tu cerebro para que puedas gestionar tanta información: almacenarla en tu **mente subconsciente**. Así, en tu día a día, no recuerdas lo realmente intenso que fue para ti a nivel emocional.

En general, aunque sepamos que pasaron cosas importantes, creemos que aquello ya no nos influye, que quedó en el pasado. Pero no es así, esa información sigue activa en tu ordenador central: tu cerebro. Y es la responsable de tu dificultad para tomar decisiones importantes.

Analizar tu pasado reconociendo cómo te ha marcado, te aporta una gran **claridad**. Esa claridad te permite aceptar que hoy eres una persona distinta a la que eras cuando ocurrió aquello, con unos objetivos y circunstancias diferentes. Así, desechar los patrones aprendidos que ya no te sirven, como autoexigirte o anularte para volcarte en los demás, te resultará mucho más accesible. Te pondré un ejemplo.

EL CASO DE LORENA

Hace dos años trabajé con una chica que, con 38 años, se sentía muy insegura e incapaz de tomar decisiones que le llevasen a disfrutar de su vida.

Cuando decidió analizar qué estaba ocurriendo, lo primero que hicimos fue tomar esta primera decisión: aumentar su sabiduría vital. ¿Qué había en su pasado que le llevaba a sabotearse su felicidad? Descubrimos que tenía un patrón de culpabilidad que se desencadenó a sus 22 años, a raíz de un accidente de moto. Ella iba de acompañante y, desgraciadamente, su amigo, el piloto, falleció. Al recordar este evento y analizarlo desde una nueva visión, descubrió que, en el fondo de su ser, se sintió culpable por vivir y por haber dado un susto tan grande a su familia y amigos, ya que estuvo una semana en coma.

La información que almacenó su mente subconsciente le llevaba a sentirse culpable si las cosas le iban bien en su vida. Por eso se autosaboteaba en todas las áreas de su vida. Pero eso le hacía sentirse todavía más culpable, por no estar disfrutando de esa segunda oportunidad que le había dado la vida.

Desde su accidente, siempre aparentaba que todo iba bien, y no permitía que sus seres queridos la viesen mal. Pero la realidad era otra: no se permitía ser feliz. No era capaz de tomar ninguna decisión importante que le ayudase a tener una vida plena: había abandonado sus estudios, trabajaba en algo que no le gustaba, mantenía relaciones tóxicas y se decía a sí misma que no quería una pareja estable. ¿Puedes imaginar la impotencia que sentía su familia y amigos por no poder ayudarla? Estuvo así años, dando toda la importancia a los demás, a ser una excelente amiga, hija, hermana, compañera..., pero sin cuidarse ni quererse.

Su vida cambió cuando entendió todo el proceso subconsciente que había realizado, y pudo soltar la culpa que tanto daño le estaba haciendo. Desde entonces, se sintió libre para disfrutar de verdad: cambió de trabajo y empezó una relación de pareja que, a día de hoy, le hace feliz.

Estos cambios ocurren cuando te das permiso para desaprender aquellas ideas de tu pasado que te limitan. Y tú también puedes. Exprime tu pasado y empieza a hacer las cosas de una forma diferente, valorándote más y aceptando que hay decisiones que, hasta ahora, no habías tomado por funcionar en piloto automático. Ha llegado el momento de hacerlo.

Desaprender tus pilotos automáticos te libera de culpas y te aporta libertad.

Revisa si, en algún área de tu vida, tienes uno o varios de estos pilotos automáticos. Valora si te roban felicidad generándote estrés, agotamiento, insatisfacción...

- ☐ **Autoexigencia:** te obligas a hacer cosas que «deberías», aunque no te apetezcan ni sean necesarias.

- ☐ **Culpabilidad:** tiendes a sentirte culpable por cosas que haces o dices, imaginando a menudo que has podido ofender o molestar a alguien.

- ☐ **Desvalorización:** te haces pequeñito, ocultando o quitando importancia a tus ideas, opiniones, anhelos, logros..., y sueles creer que no eres suficientemente válido para hacer algo que deseas (síndrome del impostor).

- ☐ **Perfeccionismo:** te gusta hacer las cosas muy bien, y si no lo puedes conseguir, sufres o prefieres no hacerlas.

- ☐ **Excesiva entrega:** estar siempre disponible, ser el apoyo de muchos, alegrarles la vida a otros...

Ahora pregúntate:

- *¿En qué época de tu pasado, de qué personas o en qué situación, pudiste aprender ese patrón?*

- *¿Qué pasaría si decides «desaprenderlos» y funcionar sin ellos?*

LO QUE SENTISTE ES LO QUE IMPORTA

Queda claro que es importante volver al pasado para conseguir esa claridad que necesitamos. Pero es igual de importante no anclarse en él, contándonos una historia que justifique nuestra incapacidad para cambiar las cosas. Recuerda el ejemplo de la naranja: la cáscara fue necesaria para crear el zumo. Una vez realizado el zumo, lo dejas ir. Sin pena. Sin apego.

Si te cuesta darte el permiso para olvidarte de algo del pasado, necesitas practicar el desapego. Conseguirás ver sus beneficios cuando aceptes que la única utilidad del pasado es extraer sus lecciones para aplicarlas en el presente.

Yo también me resistía a dejar ir el pasado, especialmente con los errores que había cometido. Me preguntaba a menudo por qué no había elegido otra opción, o por qué no había actuado de una forma diferente. Hasta que comprendí una de las lecciones más importantes que he aprendido nunca:

Si no te equivocas, no aprendes.
Y si no aprendes, no evolucionas.

Los errores son necesarios para avanzar.

Sí, los errores son parte del proceso de conocer tu verdadero potencial, de explotar tus dones y llevar a cabo la misión que te hace feliz. Se aprende mucho más de los errores que de los éxitos. ¡Y más rápido! Son aceleradores de tu aprendizaje.

Para apoyarte en esta misión, además de aceptar con cariño tus fallos, te invito a que comiences a ser menos duro con los errores de los demás. Acepta el proceso de aprendizaje de cada persona. Esto te ayudará a quitar la carga negativa que asocias al error y que limita tu evolución.

Otras veces, en vez de apegarnos al pasado, utilizamos la estrategia contraria: huir de él. No quieres visitarlo. Te cuesta pararte, pensar y reflexionar. No quieres sentirte triste, y buscas salir de esa emoción a toda costa. Es por esto que caes más de una vez en el mismo patrón, repitiendo experiencias similares, muchas veces dolorosas.

El beneficio de reconciliarte con tu pasado es que te permite abandonar tus **pilotos automáticos**. Eso sí, conseguirlo requiere atención. Y solo puedes poner atención en aquello que sabes que existe. Si no reconoces que tienes un patrón mental que te lleva, por ejemplo, a desvalorizarte, es imposible que tomes decisiones que te hagan salir de esa desvalorización.

Si, a pesar de haber investigado en tu pasado, sigues saboteándote en algún área de tu vida, es posible que no estés haciendo este primer paso en su totalidad. No se trata solo de analizar lo que pasó y aprender de ello. También necesitas **desechar las conclusiones limitantes que tu mente subconsciente almacenó sobre ti mismo y sobre la vida**.

UN CASO REAL DE MI VIDA

Yo sufrí en mis carnes esto de mantener un piloto automático limitante. Fue durante esa época que te contaba en la que me sentía muy poca cosa tras mi primera ruptura sentimental. Después de aquello, cada persona con la que iniciaba una relación terminaba dejándome. Había acudido a una psicóloga, y con su ayuda, exprimí mi pasado. Me sirvió para encontrar una justificación de las cosas que me pasaban, pero no hubo cambios. Mis experiencias me seguían demostrando que era víctima de mí mismo, de mi carácter, de mi poca personalidad... No había dado el siguiente paso, el de romper con las creencias erróneas que había adquirido. No podía cambiar, en la práctica, las conductas que me hacían maltratarme de aquella manera. Para conseguirlo, tuve que explorar una herramienta que aún era muy desconocida en España: el coaching de vida. Gracias a ella pude integrar lo que había ido aprendiendo.

En mi caso, tuve que poner en práctica el hecho de darme valor a mí mismo, apreciando lo que «yo soy», en vez de apreciar solo las cosas que «yo hago» por complacer, en este caso, a mis parejas. Antes, me dedicaba a agradar, contentar y cuidar. Tenía una máscara de «yo estoy bien, ¿tú qué necesitas?». Obvio que ese disfraz era agotador, y cuando no podía más, salía a la luz una rabia y un mal humor que hasta yo me sorprendía. Me enfadaba en mi interior, porque sentía que a mí no me trataban igual de bien que yo lo hacía. Yo mismo, con mi patrón automático, hundía mis relaciones y me hundía a mí mismo.

Para evitar quedarte a medias en este primer paso, es fundamental tener en cuenta que las respuestas no siempre están en lo racional, sino que es necesario acudir a los sentimientos.

Lo importante del pasado no son los hechos que ocurrieron, sino las emociones que sentiste.

Son esos recuerdos emocionales los que más influyen, a día de hoy, en tus decisiones. Y tus emociones pueden ser muy diferentes a las que hubiera sentido otra persona que pasara por lo mismo que tú. Si viviste alguna circunstancia, por poco importante que te parezca ahora, en la que sentiste miedo o vergüenza, tu cerebro va a pretender que no vuelvas a pasar por ella. Así, te ayuda a evitar aquello que sentiste y que te dolió en el pasado.

Por ejemplo, las personas que tuvieron una primera relación sexual traumática grabaron ese dolor físico y emocional, en su cerebro. A partir de ahí, su mente se encargó de protegerlas, tratando de evitar que volviese a ocurrir. Esto influye en cosas tan importantes como encontrar una pareja con quien intimar o ser capaz de relajarse y disfrutar en la intimidad. Y así pueden pasar años.

En muchos casos, esa tensión interior se manifiesta en dolor en las relaciones sexuales, sequedad vaginal, impotencia o eyaculación precoz, y otros síntomas que les generan mucho sufrimiento. Todo ello por el miedo, inconsciente, a repetir aquella primera experiencia traumática.

Puedes trasladar este ejemplo a otras situaciones como la primera vez que hablaste en público, fracasaste haciendo un deporte o tus amigos te dejaron de lado. Cada una de las decisiones que tomas, incluso la más racional, tiene una base emocional. Si eres muy mental y tratas de racionalizarlo todo, te gustará tener mucha información antes de tomar una decisión. Pero no debes olvidar que detrás de todo ese proceso racional hay algo que tiene aún más poder. Y son las emociones que te produce esa situación sobre la que quieres tomar una decisión.

Te pongo un ejemplo: si sentiste, durante un tiempo, miedo a no ser suficiente —porque creías que eras más lento, torpe, desastre... que el resto—, esa emoción de miedo surgirá fácilmente cuando te plantees un reto. Así, es muy posible que las decisiones que tomes te lleven a procrastinar, a rechazar oportunidades y, en definitiva, a buscar muchas excusas para no avanzar en tus proyectos.

_____

EL CASO DE LUISA

Recuerdo una mujer con la que trabajé para ayudarla en su emprendimiento. Tenía muy arraigado el miedo a no ser suficiente. Estaba desarrollando su propio negocio en internet, y sufría demasiado. Había aprendido que ella necesitaba esforzarse mucho más que el resto para conseguir lo que quería. «No me da la vida» era una de las frases más frecuentes en su diálogo interno. Descubrió que todo ese autoestrés que se generaba venía de un patrón que era habitual en ella: el perfeccionismo. Había aprendido a hacer las cosas perfectas para evitar sentir algo que para ella era evidente: «No soy suficientemente buena».

Tras encontrar el origen emocional de esta creencia en su historia de vida —vinculada al carácter de su padre y su relación con él—, pudo reconciliarse con su pasado y comprender que ya no le hacía falta tanta perfección para conseguir el amor de los demás. Comenzó a darse el permiso de ser ella misma, y de priorizar su bienestar por encima del perfeccionismo.

_____

Para reconciliarte con tu pasado, es importante que empieces por reconocer tus emociones actuales. Observa **cómo te sientes** ante lo que te está pasando. ¿Sientes miedo?, ¿rabia?, ¿tristeza? Una vez detectadas, acéptalas y recuerda en qué otro momento sentiste esa emoción. Encuentra la ocasión que más te impactó a nivel emocional. Una vez lo tengas, pregúntate:

- *¿Qué necesitabas haber sentido en aquella época que no pudiste sentir? Quizá comprensión, apoyo, amor, perdón...*
- *¿Qué hubiera cambiado si lo hubieras sentido?*
- *¿Cómo puedes darte ahora eso que necesitabas entonces?*

Volver al pasado no es fácil. Supone ir a zonas de sombra y oscuridad. Pero es allí donde está el interruptor para encender la luz que estás buscando a día de hoy. Eres valiente al intentarlo, pero, a veces, la valentía no es suficiente. Hay ocasiones en las que no podemos hacerlo solos. Si sientes que ese es tu caso, pide ayuda. Hay muchos expertos en autoconocimiento que podemos ayudarte a encontrar esa pieza clave de tu puzle. A mí me convencieron con este símil: si pides ayuda con tu coche y lo llevas al taller porque no sabes revisar el motor, ¿no lo vas a hacer con tu mente?

Nota mental:

✓ Cómo yo me sentí en el pasado tiene repercusiones en las decisiones que tomo hoy en día.

✓ No basta con investigar en mi pasado, para superarlo necesito hacer cosas diferentes a las que vengo haciendo hasta ahora.

DESPIDE A TUS PILOTOS AUTOMÁTICOS

Reconciliarte con tu pasado, desaprendiendo tus diferentes pilotos automáticos, implica permitirte algo que, hasta ahora, no te estabas permitiendo.

Hay varios permisos que todos necesitamos darnos a nosotros mismos para encontrar esa independencia del pasado que necesitamos. Son estos:

- ✓ Hacer lo que amo, sin importar lo que opinen los demás.
- ✓ Decepcionar a otras personas y aceptar que no les guste mi forma de ser y actuar.
- ✓ Ser atrevido y actuar sin tanto análisis.
- ✓ Arriesgarme a sentir, en las primeras ocasiones, cierta vergüenza.
- ✓ Mostrar mis debilidades y reconocer mis fortalezas.
- ✓ Aceptar lo que venga de los demás sin darle demasiada importancia, sean críticas o cumplidos.
- ✓ Dejar de sentirme fracasado por no haber alcanzado mis propias expectativas.
- ✓ Dejar de creer que «no soy suficientemente [capaz/interesante/rico/listo/preparado] para...».
- ✓ Aceptar que no soy perfecto, que estoy aprendiendo.
- ✓ Celebrar y apreciar cada pequeño paso.

Quizá te das alguno de estos permisos en algún área de tu vida, pero no en otras. Por ejemplo, puede que en tu carrera profesional te des permiso para aceptar lo que venga de los demás y, sin embargo, en tu área personal sigas dando mucha importancia a las posibles críticas de familiares y amigos.

Si lo has conseguido en otras áreas, o en otras épocas de tu vida, también puedes conseguirlo ahora, en esa que te preocupa. Estoy seguro de que has tenido momentos en tu vida en los que sí has abandonado tus pilotos automáticos y has hecho cosas que, aunque te costaron, te dieron buen resultado. Ahora también puedes hacerlo.

EJERCICIO: LOS 10 PERMISOS

Vuelve a leer los diez permisos que necesitas darte para romper un piloto automático, puntuándolos del 1 (no me cuesta darme este permiso) al 10 (me cuesta mucho). Anota los tres con mayor puntuación en tu cuaderno, teléfono u ordenador. Cuanto más presentes los tengas, más fácilmente conseguirás hacer cosas para darte realmente ese permiso. Algo que te ayudará mucho es comenzar el día leyendo esos permisos que deseas reforzar. Facilitará que tu mente encuentre formas de conseguirlo.Además, recuerda una época de tu vida en la que las cosas se pusieron difíciles para ti y la conseguiste superar.

- *¿Qué permisos te diste?*

- *¿Cómo te sentiste?*

Por último, decide algo que puedas hacer hoy mismo para demostrarte que empiezas a darte alguno de los permisos que tanto te cuestan. Hoy es el día. No esperes más. Encuentra algo que no hubieras hecho si no hubieses descubierto la importancia de soltar pilotos automáticos como el perfeccionismo, la culpabilidad o el aislamiento. Un ejemplo muy sencillo es contarle a un amigo o familiar que estás leyendo este libro porque quieres tomar mejores decisiones respecto a...

Nota mental:

✓ Para tomar mejores decisiones, necesito darme permisos que antes no me daba.

EJERCICIO PARA RECONCILIARTE CON TU PASADO

Cuando estás en el pozo, necesitas crear tu propia escalera.

Es única, al igual que tu pozo. Explora tu pasado y encontrarás las pistas que necesitas.

Primera parte: ¿Qué te ha marcado?

Para conseguir la claridad que te puede aportar tu pasado, necesitas parar y recordar los eventos emocionalmente más importantes que has vivido. Esos son los que más han marcado tu vida, aunque tú no seas demasiado consciente de su trascendencia real.

Haz este ejercicio en un sitio tranquilo, con tiempo y con el teléfono apagado. Realiza unas respiraciones profundas y ábrete a recordar tu pasado, incluso aquellas épocas que fueron dolorosas.

a) Anota las **tres experiencias** que más dolor te han causado en algún momento de tu vida.

b) Ahora encuentra las **tres decisiones** que más trascendencia han tenido en tu vida. Puede ser algo que decidiste hacer, pero también algo que dejaste de hacer.

Ahora responde a estas preguntas:

• ¿Qué emociones viviste como consecuencia de estas experiencias? Revisa si te hicieron sentir culpa, rabia, tristeza o falta de autoestima y confianza. Siente la importancia que han podido tener en la imagen que tienes de ti mismo.

• Observa qué hechos de tu pasado y qué decisiones tuyas (o faltas de decisión) han podido contribuir más intensamente a que hayas perdido autoestima, confianza en ti mismo y sensación de libertad para decidir tu vida. Por ejemplo, una educación muy proteccionista, una madre muy preocupada por el qué dirán, un padre con dificultad para transmitir amor, prolongar demasiado unas amistades o parejas tóxicas...

- ¿Qué aprendizajes pudo sacar tu mente subconsciente para evitar que volvieses a pasar por lo mismo? Por ejemplo, que no vales para hacer ciertas cosas, o que es mejor buscar mucha seguridad y control para evitar situaciones en las que hay cierto riesgo de fracasar.

Trata de ver los patrones repetidos que encuentres entre lo que hiciste en el pasado y cómo te sentiste, y lo que haces y sientes ahora ante determinados retos —acuérdate de la chica de 38 años y su patrón de culpabilidad y desvalorización—.

Observa qué relación tiene tu pasado con alguno de los **pilotos automáticos** que has podido detectar: autoexigencia, culpabilidad, desvalorización, excesiva entrega...

Para terminar, responde a esta pregunta para ver cómo transformar tu pasado en sabiduría:

- ¿Qué nuevas decisiones puedes tomar que supongan algo diferente a lo que harías con tus pilotos automáticos?

Empezar a hacer algo diferente, aunque sea muy sencillo, supondrá iniciar un proceso para utilizar en positivo lo que has vivido. Todos tus miedos, culpas y tristezas los puedes transformar en fuerza para construir tu vida. Para dejar esas emociones atrás, aprende de lo vivido y date los permisos que necesites para despedir a tu piloto automático. Recuerda que ya no eres la misma persona del pasado, y ahora puedes tomar mejores decisiones.

Segunda parte: ¿Qué has aprendido?

En el pasado, además de vivir experiencias emocionalmente desagradables, también has desarrollado habilidades y aprendizajes que te han permitido lograr muchas cosas. Como generalmente no le damos importancia a este lado positivo, te propongo que seas honesto contigo mismo y reconozcas todo lo que has logrado hasta hoy.

Para ello, realiza un **listado de las cosas que has conseguido**. A la primera no te van a salir muchas cosas, porque tu mente ha aprendido a considerarlas como algo normal. Sin embargo, en el momento en que las hiciste, también sentías miedo, inseguridad o incertidumbre. ¿Recuerdas la primera vez que conseguiste quedar con la persona que te gustaba? ¿O cuando aprendiste a patinar? Apunta también todos esos pequeños logros.

En una primera ronda, puede que se te ocurran diez o quince logros. Después, haz una segunda ronda y anota al menos el mismo número de logros que en la primera. Tendrás que quitar telarañas de tu mente, ya que no está acostumbrada a dar valor a lo que has ido logrando, pero eso no quiere decir que no lo tenga. ¡Búscalo, es tuyo!

Por último, analiza qué recursos y fortalezas tienes, y has desarrollado en tu pasado, para alcanzar todos esos logros. Quizá observes constancia, responsabilidad, ilusión, inconformismo... Anótalas, pues son los recursos que siempre podrás utilizar para superar cualquier adversidad que se te presente.

RESUMEN DE LA DECISIÓN 1

La primera decisión que importa para tomar buenas decisiones es la de reconciliarte con tu propio pasado, tanto con lo bueno como con aquellas otras experiencias que te hicieron sufrir. Porque en esas épocas de sufrimiento tomaste unas decisiones que ya no te sirven. Es momento de desaprender todo aquello que, aunque hasta ahora pensabas que era parte de ti, reconoces que te está limitando y haciendo daño.

A la hora de decidir, elige una opción que te saque de tus pilotos automáticos. La opción que se llevará esta primera estrella es aquella que te haga sentir que eres libre para ser tú, independientemente de lo que hayas vivido y decidido en el pasado.

Este es el primer paso para cambiar el rumbo de tu vida cuando se repiten situaciones que no te gustan. Es la decisión que más cuesta. Por ello, muy probablemente, necesites pedir ayuda para detectar y superar esos aprendizajes y esas emociones bloqueadas que te limitan. Una vez sepas a qué te enfrentas y qué herramientas tienes para superarlo, podrás recuperar esa confianza en ti mismo que has ido perdiendo.

Ejemplo personal:

Durante unos años, adquirí un hábito del que no me siento nada orgulloso. Era algo que no me hacía sentir bien, pero que repetía sin poderlo evitar. Los domingos por la tarde los utilizaba para quedar con alguien a través de internet, y tener relaciones. Sin apenas hablar. Me cuesta escribir esta palabra, pero sí, podemos llamarlo promiscuidad. El caso es que, después de un tiempo, comencé a tener falta de apetito sexual. No era la típica temporada que no te apetece, que tienes más estrés... No. Era algo que se prolongó durante muchos meses. Ya no quería saber nada del sexo. Tras el primer gatillazo, el miedo y la frustración se sumaron al carro, y descubrí esa temida impotencia que muchos hombres han sentido en algún momento de su vida, pero de la que tanto nos cuesta hablar.

Cuando empecé a trabajarme con mi primer *coach*, después de varias sesiones, decidí hablar de este tema. Me hizo ver que esa promiscuidad me había llevado a rechazar mi cuerpo y todo lo que tuviera que ver con el disfrute íntimo. Tenía un piloto automático que me había llevado por un camino que iba en contra de mis valores. Y todo porque yo había interpretado que mis parejas me dejaban porque era un tipo muy poco interesante. Así, aprendía a tener relaciones sin hablar, porque era la forma que encontré para evitar enamorarme y volver a sufrir. Mi gran descubrimiento fue que podía desaprender todo aquello y tomar una nueva decisión desde la libertad, sin continuar marcado por aquella desvalorización que había aprendido.

Ideas para recordar:

✓ Vivir bajo pilotos automáticos del pasado te impide sentirte feliz conmigo mismo.

✓ Investigar y aceptar cómo influye tu pasado en tu presente te ayuda a descubrir el origen real de tu dificultad para tomar decisiones que te aporten lo que buscas.

✓ El pasado no es un verdugo que te haga víctima, es un maestro que te hace crecer.

✓ Tienes un tesoro que aprovechar a la hora de tomar decisiones: toda la información que has acumulado hasta ahora, que habla de ti, de tus deseos y también de tus pilotos automáticos. Si la tienes en cuenta, no te influirá tanto la opinión de los demás para tomar tus decisiones.

DECISIÓN 2:
DISEÑA TU LÍNEA VITAL

El mundo entero se aparta cuando ve pasar a un hombre que sabe adónde va.

Antoine de Saint-Exupéry

Esta segunda decisión es algo que, como las otras, te convendría tener presente cada día. Pero se vuelve crucial cuando tienes que tomar una decisión importante, o cuando llevas un tiempo sufriendo una mala época y necesitas cambiar las cosas.

Decidir subir este nuevo escalón hacia ese faro del que hablábamos te va a permitir dejar de pensar en bucle en todas esas ideas y dudas que tienes sobre lo que deberías hacer.

Lo primero, necesito explicarte el concepto de «línea vital». Quiero que visualices tu vida como una línea que va desde un punto, que llamaremos A, en el que naciste, hasta un punto Z, en el que se terminará tu paso por esta vida. Es una línea larga, y formada por muchos puntos. Cada punto de esa línea puedes imaginarlo como un día, una semana o un mes, dependiendo de la decisión que quieras valorar.

Lo segundo a tener en cuenta es que tú, y solo tú, tienes el pincel para diseñar esa vida. Son tus decisiones las que hacen de pincel. Para poder aprovechar a tu favor este poder de diseñar tu propia línea, tienes que tener en cuenta estas tres ideas:

1. Los **puntos A** y **Z** son dos puntos muy importantes, ya que van a delimitar al resto de puntos. El punto A no lo elegiste. Quizá alguna vez has pensado que te hubiera gustado nacer en otra época de la historia, en otro país o en otra familia. La realidad es que no lo puedes cambiar, así que tu misión es hacer de ese punto el comienzo de una línea ascendente, que cada vez te haga sentir más orgulloso de tus inicios, y de ir creando una vida única y maravillosa a partir de ellos.

   El punto Z, *a priori*, podrías pensar que tampoco tienes control sobre él. ¿Cómo lo ves? La realidad es que, de todas las muertes que se producen cada día, la gran mayoría dependen de factores de salud. Es cierto que hay accidentes, enfermedades hereditarias y pandemias como la del coronavirus que determinan la llegada a este punto Z. Pero también es cierto que, entre las principales causas de muerte están los infartos, las patologías cerebrovasculares y las enfermedades respiratorias. ¿Crees que tienes capacidad de influir sobre estos problemas de salud? Indudablemente, sí.

   Por tanto, hay un margen en el que puedes acercar o alejar ese punto Z, en función de tus hábitos de alimentación, ejercicio físico, adicciones, estrés... En consecuencia, y a pesar de que la línea vital tiene un punto final del que desconoces sus coordenadas, no puedes caer en el error de olvidarte de él.

Cada día haces cosas que influyen en el final de tu vida.

Para crear la vida que deseas, es importante que aceptes tu capacidad de influir en este punto Z. Todos estamos expuestos a un accidente mañana mismo, pero ese pensamiento no nos ayuda en nada. Tener claro que tú puedes influir en el final de tu línea vital te aporta un enfoque mucho más realista y creativo.

No puedes saber con certeza cómo ni dónde estarás cuando llegue Z, pero sí puedes decidir qué te gustaría haber vivido hasta ese momento, y en qué condiciones te gustaría llegar.

Sé que hay muchas personas que tienen resistencia a hablar de este tema y a visualizar ese punto Z. Por mi trabajo en las plantas de neurocirugía y oncología del hospital, he acompañado a muchas personas en el final de sus días, y he sentido la diferencia entre las personas que habían visto cumplidos sus sueños y las que se habían dejado llevar por la vida, sin tener claro lo que les hubiera gustado vivir.

Te aseguro que los sentimientos que sentían unas y otras eran muy diferentes. Desde entonces, tuve claro en qué grupo quería estar. Y sé que tú, que has decidido leer este libro, también.

Por tanto, te invito a tener presente tu línea vital. Obsérvala como una **obra de arte**. Es una línea que tiene dos puntos que la delimitan, pero el punto Z es móvil.

El hecho de no saber el final no debe suponerte un impedimento para esmerarte en crear una gran obra de arte cada día. Y, lo más importante, disfrutarla en cada uno de esos días. ¿Crees que el escultor Miguel Ángel sabía cómo y cuándo iba a terminar su David? ¿Imaginas la de retoques y pequeños detalles que fue puliendo durante el proceso de creación? ¿Crees que, si no hubiera disfrutado ese proceso, el resultado hubiera sido el mismo? El hecho de no saber si podría acabar a su David no le impidió entregarse a su obra y seguir buscando, día a día, lo que para él era la perfección de esa escultura.

2. La siguiente idea es que ya hay muchos **puntos fijos** en esa línea. Son todos esos días que ya has vivido. No se pueden cambiar. La buena noticia es que también hay muchos puntos que quedan por marcar. Visualiza tu línea vital como si fuese una planta. La parte fija, la que ya has vivido, sería la raíz de la planta. Esta zona tiene una función vital, ya que es la base a partir de la cual la planta puede ir creciendo. Ya hemos visto en la primera decisión, que esa parte fija, tu pasa-

do, tiene una información muy útil que te va a servir. Gracias a exprimir ese pasado puedes diseñar el resto de tu línea de una forma consciente y personalizada, sin estar bajo el gobierno de unos pilotos automáticos que quieren que sigas recto, dibujando una línea que tiene poco de obra de arte.

3. Por último, tomar la decisión de diseñar tu línea vital implica aceptar una máxima que, en muchos casos, se nos olvida: lo que haces con tu tiempo es lo que haces con tu vida. Vuelve a leerla, porque parece sencilla, pero tiene información importante:

Lo que haces con tu tiempo es lo que haces con tu vida.

Lo que hiciste ayer se ha quedado grabado en tu línea. Lo que hagas este fin de semana, también. Así como lo que estás haciendo ahora mismo. Siempre estará ahí y aparecerá, en pequeñito, cuando en algún momento del futuro decidas echar la vista atrás y ver qué has hecho con tu vida.

CADA ELECCIÓN CUENTA

Fíjate bien en el gran poder que tienes. Es como si a Miguel Ángel, sabiendo que le encantaba la escultura, de repente le regalasen una enorme piedra de mármol y un cincel. A ti el regalo ya se te ha dado: es tu vida. Imagina que Miguel Ángel se hubiese olvidado de que tenía un cincel y, de repente, un día leyendo un libro, se acuerda de dónde está y lo recupera. ¿Imaginas su alegría? Pues algo parecido puedes sentir tú al decidir romper con ese piloto automático que te lleva a ir acumulando puntos en tu línea vital sin mucho entusiasmo.

Algo en ti ha cambiado. En vez de dejarte llevar, estás aquí, leyendo unos párrafos sobre un punto Z del que casi nadie quiere hablar. Has decidido coger el cincel con el que harás tu obra de arte.

Cuando hablamos de ser felices solemos caer en el error de pensar en el futuro. Es algo que aprendimos en la infancia: «Cuando tengas dieciocho años podrás hacer esto o lo otro, nos decían». Cuando alcanzamos esa edad, seguían faltándonos muchas cosas. Así que seguimos posponiendo nuestra felicidad.

Es hora de romper con ese piloto automático que nos lleva a retrasar la felicidad para el futuro. Necesitamos aceptar la idea de que la felicidad se disfruta en el presente. Porque ese presente es un punto más que pasa a formar parte de tu línea vital. Cada momento cuenta. Cada tarde de la semana, cada fin de semana, cada invierno y cada semana de vacaciones, mejoran o empeoran el diseño de la línea vital que vas a ver al mirar atrás desde Z.

Teniendo esto en cuenta, cuando tienes que tomar una decisión necesitas tener presentes estos dos aspectos:

- Qué implicación va a tener en los puntos sucesivos de tu línea vital.

- Cuánta felicidad aporta esa decisión a tu presente.

Para ello, necesitas utilizar las dos inteligencias que tienes: la racional y la emocional. Si te dejas llevar por la racional, es posible que hagas una valoración incompleta, priorizando lo que, en teoría, te va a aportar esa decisión a largo plazo. Por ejemplo, imagina que tienes dieciocho años y decides estudiar una determinada carrera para tener un buen sueldo en el futuro. Si hicieses este planteamiento tan racional, estarías posponiendo tu felicidad para el futuro, despreciando tu presente. Y aquí es donde te va a ayudar tu inteligencia emocional. Si escuchas tus emociones y lo que tu intuición te hace sentir, tendrás más información de lo que te hace falta en ese momento. Al combinar ambas inteligencias, podrás encontrar una decisión que cuide tu presente y tu futuro. Veremos más sobre este tema en la tercera decisión.

Nota mental:

✓ Tener presente la línea de vida que deseo me ayuda a tomar decisiones.

EL PROPÓSITO SUPERIOR Y EL PROPÓSITO DE VIDA: TUS DOS ALIADOS

Sí, son dos aliados que nos pueden ayudar y, sin embargo, nos olvidamos de ellos. El propósito superior es el objetivo último que quieres conseguir con cada cosa que haces. Por ejemplo, no es lo mismo plantearse hacer una dieta para bajar unos kilos, que asociarlo a poder ponerte el vestido que deseas en un evento muy importante para ti.

El propósito superior de una decisión hace que tu compromiso sea más fuerte que tu resistencia al cambio. Para encontrar esos propósitos que te ayuden, solo tienes que decidir qué deseas tener en tu línea vital. Esto te aportará un propósito superior para cada meta concreta que afrontes en tu día a día. Por ejemplo, si fueses una mujer de 35 años y deseases formar una familia, un propósito superior tuyo sería la maternidad. Para verlo cumplido, sería muy importante que tuvieras este punto presente en tus decisiones. Hay muchas mujeres que se acercan a los cuarenta y sufren mucho, arrepintiéndose de no haber tomado decisiones para satisfacer este importante propósito que estaba en su interior.

Cada uno de esos importantes objetivos de tu línea vital será como un faro al que puedes mirar, que guiará tu dirección y te hará mantener la potencia de tu motor para alcanzarlo. Esto te ayudará a ver más pequeñas las limitaciones que antes veías demasiado grandes, porque tendrás un motivo por el que superar tus miedos. En la quinta decisión hablaremos de esos miedos y descubrirás el origen de todos ellos. ¡Te va a sorprender!

Por otro lado, una de las cosas que más ayuda a diseñar tu línea vital es conocer tu **propósito de vida**: saber qué te gustaría aportar a este mundo. Algunas personas lo relacionan con su familia, como cuidar a un hijo discapacitado, a unos padres ancianos... Otras lo centran en un *hobby* o deporte, sintiendo que superarse en él les proporciona más satisfacción que cualquier otra cosa. Y, muchas otras relacionan su propósito de vida con su área profesional.

Tener un propósito de vida te ayuda a tomar mejores decisiones.

Eso sí, la mayoría de nosotros hemos pasado mucho tiempo sin un propósito de vida claro. Y no pasa nada. A veces nos negamos a sentir que es algo tan sencillo como aprender, experimentar y compartir. No te agobies si aún no has descubierto cuál es. Y, te digo más, no sufras si sientes que tenías uno pero que ya no te convence. Se pueden tener varios propósitos de vida, y también se pueden cambiar o matizar.

Pero, realmente, ¿es importante encontrar un propósito de vida? Si nos vamos a la literatura del campo de la psicología, encontramos muchos autores que nos dicen que sí lo es. Afirman que encontrar un gran objetivo de vida te proporciona una gran felicidad, te ayuda a decidir mejor y te moviliza a tomar acción y responsabilidad en tu vida. Como ves, son importantes ventajas. Además, algunos estudios científicos afirman que tener un propósito de vida ayuda a prevenir enfermedades como el infarto de corazón o el derrame cerebral. ¿Qué te parece? Además, se relaciona con la prevención de la demencia, la depresión y el insomnio. ¡Casi nada!

En mi caso, mi propósito de vida es ayudar a los demás. He tenido diferentes profesiones, pero, de fondo, siempre estaba esa idea. Para otros será aportar belleza a este mundo, o hacer la vida más segura a los demás...

Si sientes que no tienes del todo claro tu propósito de vida, necesitas partir de estas premisas:

- Entiende que el miedo es el principal freno para encontrarlo. Si descubres tu propósito de vida, tu mente intuye que tendrías que tomar decisiones importantes que te sacarían de tu zona de confort. Y eso asusta.

- Comprende que tu propósito puede ir cambiando, que no es algo definitivo que suponga un contrato de por vida. De hecho, no tiene por qué ser único. Hay personas que sienten pasión por dos tareas muy diferentes, como puede ser la maternidad y la informática, que satisfacen dos propósitos distintos.

- Acepta que tú también tienes un propósito y que, en algún momento, ya has intuido cuál es.

- Quítate la presión de pensar que tu propósito tiene que ser algo grandioso, con un enorme impacto para tu vida y para la de los demás. Hay personas que han sido tremendamente felices cultivando sus tierras o cuidando ganado. Lo importante no es **qué** haces, sino **cómo** lo haces. Y ese **cómo** te surge de forma natural: se te da bien y le imprimes un cariño y una esencia que otras personas no podrían, aunque quisieran. Sin duda, tu propósito va a tener una repercusión en los demás, les va a ayudar de alguna forma. Pero no por ello tiene que ser algo tan obvio como una profesión sanitaria o un voluntariado en una ONG. Siendo fotógrafo puedes ayudar mucho a otras personas, al igual que lo puedes hacer trabajando en un banco, transportando mercancías o acompañando a ancianos que viven en soledad. Todo depende de cómo tú sientas la función que realizas y el significado interior que tú le des.

- No te castigues por no haberlo encontrado aún. No es necesario encontrar tu vocación antes de cumplir una determinada edad. De hecho, una vez que lo hayas encontrado, el proceso continuará, porque irás recibiendo nueva información y descubriendo más de ti mismo. Así que, céntrate en disfrutar del proceso.

- Y, por último, olvídate de que tu propósito debe encajar con tu entorno, tu familia y con las decisiones que has tomado hasta este momento de tu vida.

Si no tienes claridad sobre tu propósito de vida, es hora de dar el siguiente paso: pasar a la acción antes de tenerlo claro. Puede parecerte ilógico, pero piénsalo detenidamente. ¿De verdad crees que tu propósito de vida te va a llegar como caído del cielo?

**Descubrir tu propósito de vida implica
sentirlo, no pensarlo.**

Para sentirlo necesitas ponerte en acción. Solo así descubrirás lo que te apasiona y te inspira. Eso sí, con conciencia. Iniciar *hobbies*, cursos o talleres de diferentes actividades te dará una información que no encontrarás en ningún libro. Sin embargo, si te apuntas y no te permites observar cómo te sientes, no te servirá de nada. Lo importante es sentir, no pensar. Hay muchos ejemplos de personas que dejaron sus brillantes carreras para dedicarse a uno de sus *hobbies*. ¿Imaginas el ruido mental que tuvieron que vencer para dejar atrás una vida de éxito profesional y comenzar de cero guiados por su pasión? Fueron capaces de hacer el cambio gracias a los sentimientos que experimentaban cuando dedicaban tiempo a esa actividad.

Nunca es tarde para comenzar un *hobby* o aprender algo que dejaste en el tintero hace años. Cada oportunidad que te das para observar cómo te sientes es un paso hacia tu propósito de vida.

ANTÍDOTO FRENTE A LA INDECISIÓN

Ya hemos visto que la indecisión es muy amiga de las malas épocas. Para combatirla, una herramienta muy poderosa es tener presente tu línea vital.

Siempre que se te presenta una duda terminas tomando una decisión. Muchas veces, la decisión es seguir haciendo lo mismo porque no sabes qué opción escoger. Puede ser que necesites un tiempo, delimitado, para conseguir más claridad. El peligro es que se te olvide que, dejando pasar ese tiempo, ya has tomado la decisión de seguir como estabas. No tomar una decisión ya es tomar una decisión. Y si la indecisión se apodera de tu mente, seguirás añadiendo a tu línea vital puntos que no te hacen sentir bien.

**La indecisión es el lápiz perfecto para dibujar
una línea vital mediocre.**

Uno de los principales factores que nos hacen caer en la trampa de la indecisión está relacionado con el **coste de oportunidad**. Este es un término muy habitual en el ámbito financiero, y para lo que a nosotros nos interesa, representa **aquello a lo que renuncias** al tomar una decisión.

La mente tiende a poner el foco de atención en lo que pierdes cuando eliges un camino. Tendría la opción de fijarse en lo que vas a conseguir, pero, en su lugar, se recrea en lo que vas a perder por no haber elegido los otros caminos. Lo hace porque tiene la función de asegurar tu supervivencia y prefiere evitarte todos los riesgos posibles.

Como no te interesa que tu mente se detenga en lo que vas a perder al tomar una decisión, te conviene hacerle trabajar de otra forma. ¿Cómo? Enfocándote en las ventajas de escoger la opción que has decidido. Y esto lo conseguirás **teniendo muy claro qué quieres vivir, qué sueños te apasionan y qué cosas no quieres dejar de vivir**. Si no das valor a esto, tu enemiga, la indecisión, ganará muchas batallas.

Saber que siempre pagas un coste de oportunidad —dejando de elegir otras opciones— debe impulsarte a valorar más la opción elegida. Pero, además, tiene otra ventaja. Te recuerda que el mundo no se acaba con una elección. En el caso de que en el futuro la opción que has escogido no te aporte lo que deseabas, puedes volver atrás y cambiar tu elección por otra que seguro tiene otros beneficios.

Con un ejemplo quedará más claro. Imagina que, de repente, mañana tienes el día libre. Se te ocurren varios planes, pero debes decidirte. Podrías hacer una excursión a la naturaleza, aprovechar para ir de compras o visitar a un amigo. Decides ir de excursión, pero sabes que el coste de oportunidad que supone esa decisión es seguir sin las compras hechas y dejar de ver a tu amigo.

Ahora imagina que cuando llevas un par de horas en el sitio hay demasiada gente y no estás a gusto. Una opción es quedarte allí, ya que esa fue tu decisión. Sin embargo, si tienes en cuenta el coste de oportunidad, te surge la opción de aprovechar los beneficios a los que habías renunciado al desestimar las otras opciones. Quizá puedas hacer una visita más corta a tu amigo, o tal vez puedas ir un rato de compras. Cualquiera de las dos opciones te ayudaría a salir de ese sitio en el que no estás a gusto y dejar un punto más positivo en tu línea vital.

Esta es la gran ventaja de tu línea vital: tiene una parte flexible sobre la que puedes ir decidiendo.

Entender las decisiones como algo rígido, sin vuelta atrás, es el mejor alimento para los ladrones de la felicidad, como el estrés y la ansiedad.

Siempre tendrás el derecho de rectificar y de cambiar de opinión. Es un derecho y un deber, ya que recuerda que es el error lo que te permite aprender.

Una de las características de las personas que toman buenas decisiones para ellas mismas es justamente su capacidad de **adaptación y flexibilidad**. Para entrenarlas, acostúmbrate a detectar qué te incomoda de alguna decisión y cambia lo necesario para salir de ese malestar. Sin apego. Sin miedo al qué dirán. Solamente manteniéndote fiel al compromiso con tu felicidad personal y con tu coherencia interior, de la que hablaremos en la siguiente decisión que importa.

Cada decisión corresponde a un momento vital. Hoy puedes decidir una cosa y mañana las circunstancias pueden hacer que decidas lo contrario. La marcha atrás no es un pecado.

Nota mental:

✓ Nada es definitivo, tengo el derecho a cambiar de opinión.

LAS ZONAS VALLE

Diseñar tu línea vital y ser consciente de ella no implica que todos los días tengan que ser productivos e importantes para tu propósito de vida. Hay días en los que cuerpo y mente necesitan descansar, dibujando así una «zona valle» en tu línea vital.

Esto parece algo lógico, pero hay veces que se nos olvida. Sobre todo, cuando más lo necesitas: en esos días en los que peor te sientes y lo ves todo oscuro. Justo ahí es cuando más importante es saber que tu línea necesita un descanso. Y no pasa nada.

**El descanso es parte del proceso,
y parte de la solución.**

En ocasiones, como te sientes tan mal por no estar viviendo aún lo que deseas, piensas que no mereces descansar. Te obligas a seguir buscando soluciones. Desde ese estado emocional y energético, es imposible que surja algo positivo. ¿Lo has sentido alguna vez? En esos momentos, lo que necesitas no es machacarte pensando qué has hecho mal, o cómo vas a solucionarlo. Lo que sí necesitas es parar. No puedes seguir produciendo como si no pasase nada, ni seguir dando tu apoyo a otros, ni aparentando que todo está normal. Esto solo alarga el problema, desgastándote física y mentalmente.

No solo pasa cuando has vivido un evento emocional importante, como una ruptura sentimental, un mal resultado laboral o una situación familiar complicada. También en situaciones que han sido muy buenas para ti, pero que han requerido un gran desgaste emocional.

UN CASO REAL DE MI VIDA

Recuerdo cuando terminé el lanzamiento de mi primer libro. Todo había ido bien, mejor de lo que esperaba. Pero me sentía agotado. Eran muchas emociones y muy intensas. Después de unos días de estar el libro a la venta, caí enfermo. Llevaba unos días agotado, pero no había sabido parar. De hecho, no tenía intención de hacerlo, incluso estando enfermo. Quería seguir con mi plan de dar a conocer mi libro. Sin embargo, me di cuenta de que me estaba perjudicando. Necesitaba dejar unos días de imprimir con tanto ímpetu mi línea vital. Me costó, pero conseguí frenar y permitirme unos días de descanso, sin entrevistas ni redes sociales.

Cuando te sientas agotado, física o emocionalmente, tendrás que parar y solo hacer cosas que te aporten energía. No estarás para seguir dando tu energía. No será el momento de buscar soluciones, aunque te lo parezca. Lo que necesitarás será recargar tu energía. Para ello, deberás reducir tus tareas a las más imprescindibles. Del resto, olvídate. Lleva tu atención a tu interior, a cuidarte. Necesitas descanso, y esto será tan importante como el resto de tareas que tenías programadas.

Puede que te resulte incongruente darte este premio de **descansar** en una situación de la que quieres salir cuanto antes. Esta es otra trampa mental. Es justo ahí cuando más necesitas un premio: algo que te haga sentir muy bien. Puede ser salir a pasear, descansar en tu sofá, quedar con esa amiga que te da los mejores abrazos del mundo o ver una película. Lo que sea que te aporte energía.

Todos tenemos nuestras fuentes de energía: esas acciones con las que recibimos mucho más de lo que damos.

Recurrir a tus fuentes de energía es imprescindible para superar los momentos de bloqueo.

Si no tienes muy detectado lo que recarga tu energía, visualízate como una batería y, antes de realizar una acción, anota mentalmente qué porcentaje de batería tienes. Haz lo mismo al terminar la actividad. Así irás detectando cómo te afecta cada tarea de tu agenda y cada persona con la que te relacionas.

Si sueles decir eso de «no tengo tiempo» y «no me da la vida», necesitas aprender a gestionar tu energía. Y de esto trata esta segunda decisión que importa. Tener la visión de tu línea vital te ayuda a diferenciar lo importante de lo que no lo es tanto. Y te da una perspectiva que te permite entender que tener días y momentos para recargar energía es absolutamente necesario y comprensible.

Necesitas descanso para recuperar, y cambio para evolucionar. Es una paradoja con la que tienes que aprender a jugar.

Las personas a las que admiras por su trabajo como artistas, empresarios o compañeros de profesión también descansan. Dentro de su agenda aparecen días *slow*. Lo que pasa es que esos días no son noticia. Los ves en los momentos en los que hacen presentaciones, trabajos... Inconscientemente, tiendes a compararte con ellos. Los ves más productivos, más eficientes y con más vida. Pero se te olvida pensar en cuantas recargas de batería han necesitado para cumplir ese proyecto que hoy te presentan.

Tener estas zonas valle en tu línea vital es importante, recomendable y sanador. Porque cuando tu batería se haya recargado, la situación seguirá siendo la misma que antes de descansar, pero tú ya contarás con otro recurso para superarla: tu energía. Esta te dará un impulso y una visión más realista para tomar la decisión que necesites.

Ahora bien, tienes que tener cuidado con un detalle. Si tienes una línea vital con muchas zonas valle... ¡ojito! Indicaría que no tienes una buena estrategia para cuidar tu batería interna. De alguna forma estás descuidando las dos herramientas que tienes para diseñar tu línea vital: mente y cuerpo.

En mi primer libro aporté muchas claves y ejercicios para crear una mentalidad saludable. Muchos lectores lo tienen a mano para revisarlo en determinadas situaciones, y te animo a que tú también lo hagas. Respecto al cuerpo, tanto hacer ejercicio como elegir una alimentación completa en nutrientes y lo más libre de tóxicos posible serán las mejores vacunas para evitar que tu energía se agote.

Es cierto que, cuando ya estás en una mala época, es cuando menos te apetece empezar con estos propósitos. Si no tienes estos hábitos, lo primero que necesitas es recargar tu energía con aquello que a ti te sirva. Cuando lo hayas hecho, será cuando podrás comenzar a cuidarte con miniobjetivos, progresivos, relacionados con tu alimentación y con la cantidad de ejercicio que realizas.

UN CASO REAL DE MI VIDA

Una de las decisiones que tomé tras mudarme a Málaga y haber abandonado el ejercicio, fue la de hacer, cada mañana, el pino. No tenía mucha energía para salir a correr ni ir a un gimnasio. Así que cogí la idea de una persona a la que seguía en Instagram. Me inspiraba muchísimo ver cómo, cada día, no perdonaba la realización de un pino en el que iba trepando con sus pies de espaldas a la pared. Yo he practicado yoga y conozco los beneficios de las posturas invertidas, en las que la cabeza está por debajo del corazón: favorecen el riego sanguíneo del cerebro y fortalecen los hombros y espalda. Así que comencé. El primer día aguanté seis segundos. No era nada, pero era mucho. Mucho más de lo que había hecho hasta entonces. Llevaba toda mi vida sin haber conseguido hacer el pino y ahora tenía una estrategia que me ayudaba a beneficiarme de esa postura. Lo importante es que me había marcado un miniobjetivo que me llevaba a disfrutar de un cuerpo más sano. Sin duda, este simple hecho, me ayudó a retomar el ejercicio y, sobre todo, reforzó mi creencia de que sé cuidarme incluso cuando no estoy en mi mejor momento. Todo ello gracias a una pequeña decisión.

———————————

¿Se te ocurre algún miniobjetivo por el que puedas comenzar hoy mismo? Detente unos minutos y encuentra alguna idea que te atraiga, aunque aún no sientas pasión por ella: una pieza más de fruta al día, subir las escaleras andando, un vaso de agua con limón en ayunas, un cigarro menos al día, una hora más de caminar a la semana... ¡Tú decides! Observa cómo influiría en tu línea vital. Siente en qué cambiaría tu visión de ti mismo. ¿Merece la pena? Márcate un objetivo no demasiado ambicioso pero que sí suponga un cambio, y comienza a influir positivamente en tu línea vital desde ahora mismo.

Nota mental:

✓ Muchos pocos hacen un mucho, para bien y para mal. Renuncio a acumular muchos pocos negativos.

DISEÑANDO UNA VIDA CON CONFIANZA

Cuando miras tu línea vital ya dibujada, ves que todo lo que ya está fijo ha sido consecuencia de dos factores:

- **Eventos** que te ha traído la vida y que no estaban bajo tu control.

- **Decisiones**, conscientes o inconscientes, que has ido tomando.

Tú eres quien ha diseñado esa línea. Como todo diseñador, has necesitado tu época de aprendizaje. Necesitabas conocer ciertas cosas para sentirte más seguro y a gusto contigo mismo. Lo has hecho lo mejor que has sabido, no te juzgues. Has ido buscando esas respuestas, por ensayo-error. Ahora estás aquí, leyendo este libro y aprendiendo más sobre cómo funciona esto de vivir. No tengas duda: estás en el buen camino para ser un mejor diseñador de tu vida.

Si echas ahora una mirada hacia atrás, verás épocas soleadas y otras más grises. Lo importante es saber reconocer si, en el presente, podría haber más luz en algún área de tu vida.

La siguiente pregunta es:

- *¿Qué estás haciendo para generar esa luz que deseas? ¿O te has acostumbrado al gris?*

Cuando te cuesta tomar decisiones, tiendes a acostumbrarte a cosas que no te gustan. Con ese patrón, es muy difícil mantener tu confianza en ti mismo y, en consecuencia, tu autoestima cada vez se debilita más.

Es el pez que se muerde la cola. No tomas decisiones, con lo cual no arriesgas, y si no arriesgas, no pones a prueba tu confianza en ti mismo ni en tu capacidad de superar diferentes situaciones.

Debido a esa indecisión has ido dejando de cubrir algo tan importante como son **tus necesidades y tus valores** —eso que a ti te parece importante y que deseas sentir, como la libertad, la paz interior, la independencia...—. Cuando no cubres estos aspectos, enseguida aparecen épocas grises, en las que sientes que no te conoces, que no te valoras y que no te respetas.

Llegas a creer que no eres capaz de hacer cosas que otros sí pueden hacer. Te comparas con personas a las que consideras valientes, y tú cada vez te ves más pequeñito.

La pregunta, tras la honestidad para reconocer que esto nos pasa, es:

- *¿Cómo salir de esta rueda de hámster?*

Una vez que das el primer paso, entendiendo el origen del piloto automático que te lleva a la indecisión, el siguiente paso es decidir qué es lo que sí quieres, valoras y necesitas, y tomar **decisiones que cambien en algo tu situación**. Debe ser algo que hasta ahora no hacías, y que, en tu interior, sabes que te ayudará a mejorar. ¿Enviar un currículum? ¿Hacer una llamada? ¿Apuntarte a un curso? ¿Hacer algo de ejercicio físico?

En cada momento hay un «siguiente paso» que brota de tu corazón: descúbrelo y avanza hacia él.

Dar ese paso te demostrará que todavía eres capaz de diseñar tu vida. De lo contrario, seguirías expuesto a que las circunstancias y los demás marquen el ritmo de tu vida. Y eso genera demasiado sufrimiento. Por ello, recuerda que **cada día puedes tomar pequeñas decisiones que te hagan sentir que eres tú quien está diseñando una línea vital a tu gusto.**

> **Nota mental:**
> ✓ Diseñar una vida que me guste recordar es el proyecto más importante que tengo. .

TUS RELACIONES TAMBIÉN DISEÑAN TU LÍNEA

Hay unas decisiones que influyen mucho en qué tipo de línea vital estás dibujando. Son todas aquellas con las que eliges con quién compartes tu vida. Tu línea vital, al cruzarse con las líneas de otras personas, se refuerza o se debilita.

Aunque a veces nos haga sufrir, relacionarnos es parte de nuestra naturaleza y, por tanto, nos beneficia. Ha habido múltiples estudios de investigación en este campo, y hay una sólida evidencia científica que muestra que las relaciones sociales influyen en muchos aspectos de la salud. No solo en la salud emocional, sino también en la salud física, en el estilo de vida y en el riesgo de mortalidad.

El tipo de relaciones que mantienes influyen mucho en el punto Z de tu línea vital.

La importancia que tiene para la salud el hecho de cultivar las relaciones sociales se describe como el «efecto Roseto».

Roseto es un pequeño pueblo de Estados Unidos que, en los años 50 del siglo pasado, estaba habitado principalmente por inmigrantes italianos. El médico de su localidad observó que había muchos menos casos de enfermedad cardiovascular que en poblaciones vecinas. No había grandes diferencias en la forma de vida de sus habitantes, ya que habían adquirido hábitos tóxicos como el tabaquismo y el consumo de alcohol de igual forma que el resto de pueblos. Sin embargo, había algo que diferenciaba a los habitantes de Roseto de los de otros pueblos cercanos: su amplia vida en comunidad.

Vivían en casas familiares con miembros de tres generaciones, cooperaban entre los vecinos, hacían multitud de eventos y reuniones, los ancianos eran incluidos y muy respetados, y cuidaban unos de otros. Varios estudios realizados concluyeron que su nivel de protección de accidentes cardiovasculares se debía a su vida en comunidad.

A partir de esta observación, se ha estudiado mucho este efecto, tanto a nivel sociológico como sanitario. Hace 60 años no había tanta depresión ni tanto infarto de corazón y, sin embargo, la medicina estaba mucho menos avanzada. Donde sí hay diferencias es en la forma de relacionarnos a nivel social y familiar. Digamos que hubo un momento en el que se comenzaron a «levantar paredes» y cada microfamilia fue disminuyendo los vínculos con sus vecinos y familiares.

La conclusión que nos aporta el efecto Roseto es que tu salud individual también depende de cómo te relacionas con tu tribu. Por tanto, es importante que prestes atención al tipo de relaciones que estás diseñando. ¿Son estables? ¿Son generosas y beneficiosas para ambas partes?

Tomar decisiones que fomenten relaciones estables y generosas protege tu salud.

Elige bien a las personas a las que dedicas tu tiempo. Haz una revisión, y date el permiso para dedicar menos energía a aquellas que ya no suman. También decide cómo puedes reforzar y crear nuevas relaciones. Revisa periódicamente este tema ya que, si no lo haces, y no tomas decisiones al respecto, estarías descuidando tu salud y tu línea vital.

EJERCICIO PARA DISEÑAR TU LÍNEA VITAL

Para poner más claridad en tu línea vital, te propongo este esclarecedor ejercicio. Eso sí, para que te ayude, necesitas ser muy honesto contigo mismo y dedicar un tiempo de calidad a analizar tus respuestas y sacar conclusiones. Te aseguro que merece la pena: te ayudará a conocer hacia dónde te gustaría dirigirte y quizá tomes conciencia de lo que realmente quieres en la vida.

Se trata de rellenar los cuatro cuadrantes del gráfico que tienes más abajo. Escribe primero, en el cuadrante «Quiero y tengo», siete cosas o sentimientos que de verdad te gustan en tu vida y que deseas mantener. Justo a la derecha, en el cuadrante 2 «No quiero y tengo», escribe siete cosas que tienes pero que no quieres en tu vida. Continúa por el cuadrante 3, escribiendo las siete cosas más importantes que te gustaría tener pero que, aún, no tienes. Por último, el último apartado te invita a reflexionar sobre lo que no tienes y no deseas que llegue a tu vida.

1.QUIERO Y TENGO	2.NO QUIERO Y TENGO
1.	1.
2.	2.
3.	3.
4.	4.
5	5
6.	6.
7.	7.

3. QUIERO Y NO TENGO	4. NO QUIERO Y NO TENGO
1.	1.
2.	2.
3.	3.
4.	4.
5	5
6.	6.
7.	7.

Cuando hayas terminado, vuelve al panel dos, y responde a esta pregunta:

¿Qué quiero en lugar de...?

Anota las diferentes respuestas en el panel número tres, junto a las que habías apuntado antes. Ahora, ordénalas según la prioridad con la que desearías tener cada una de ellas.

A partir de aquí, ya puedes tomar unas cuantas decisiones, en función de lo que has apuntado en cada cuadrante, que sabes que te ayudarán a sentirte mejor:

- Hacer cosas para mantener lo que quieres y ya tienes.

- Retirar tu tiempo y tu energía a lo que tienes y no quieres.

- Conseguir lo que quieres y no tienes. Guíate por el puesto de importancia que le has dado a cada una, para comenzar por lo que te resulte más importante en este momento.

- Continuar alejándote de lo que no tienes y no quieres.

RESUMEN DE LA DECISIÓN 2

La segunda decisión que importa es la de diseñar, con cada elección que tomes, una línea vital que te haga sentirte bien contigo mismo.

De las diferentes opciones que tengas, elige aquella que diseñe una trayectoria que te haga sentir afortunado, en el presente y en el futuro. Piensa en dónde desearías estar en el futuro, qué te gustaría haber vivido, y toma la decisión que, en el momento actual, más te acerque y más te permita disfrutar del proceso. Utiliza esta pregunta sencilla, pero que te dirige al sentir, no al pensar:

¿Cómo me voy a sentir dentro de [un mes, un año o 10 años] si elijo esta opción?

Ejemplo personal:

Hubo una época en mi vida en la que tenía la ilusión de ser padre. Para mí, ser padre es uno de los actos más generosos que una persona puede hacer. En aquella época no tenía pareja, ni el dinero suficiente para iniciar los trámites que me llevarían a conseguir ese objetivo. Ese deseo no podía ser, pero había trabajado en mi línea vital cuando me formé como *coach* y tenía claro que deseaba que hubiera algo que me permitiera transcender a mí mismo, sentir que mi paso por este mundo había dejado una huella.

Fue entonces cuando tomé la decisión de escribir mi primer libro, *Mente, ¡déjame vivir!* Eso sí dependía únicamente de mí. Tenía que invertir mucho tiempo y dinero, pero podía hacerlo. Era una idea descabellada..., ¿quién me iba a leer a mí? Sin embargo, había tomado la decisión de responsabilizarme de mi línea vital. Deseaba llegar a mi vejez y no arrepentirme de una línea monótona y sin la ilusión de haber ido cumpliendo mis pequeños o grandes sueños. Y escribir un libro era uno de ellos.

Ideas para recordar:

✓ Lo que haces con tu tiempo es lo que haces con tu vida.

✓ Gestionar y respetar tu batería de energía te permitirá tomar mejores decisiones.

✓ Siempre se paga un coste al decidir, pero eso no debe ser una excusa para caer en la indecisión.

✓ Tomar decisiones que amplíen y cuiden tus relaciones te ayudará a diseñar una vida que te guste recordar.

DECISIÓN 3:
RESPÉTATE: PRIORIZA TU COHERENCIA

Es difícil encontrar la felicidad dentro de uno mismo, pero es imposible encontrarla en ningún otro lugar.

Arthur Schopenhauer

Ya tienes dos herramientas para tomar buenas decisiones. Por un lado, entender tu pasado y liberarte de tu piloto automático para decidir desde la libertad. Por otro, mirar al futuro y tener presente la línea vital que deseas.

Uno de los mayores frenos que nos encontramos a la hora de decidir es que lo que queremos para el futuro implica hacer cosas que no son las más cómodas ni las más fáciles.

Es una realidad que, lo que te vendría bien hacer para disfrutar de un buen futuro, no es, en muchos casos, lo que más te apetece en este momento. Por ello, necesitas tomar la siguiente decisión que importa. Consiste en respetarte a ti mismo, **priorizando la**

coherencia interior por encima del placer y la comodidad a corto plazo.

Ya hemos visto que placer no es lo mismo que felicidad. Cuando tienes claro que lo que quieres ya no es placer a corto plazo, sino una sensación de felicidad interior a largo plazo, entonces apostar por tu coherencia interior será más fácil.

Esta coherencia es la tercera señal a la que debes prestar atención. Fíjate que es algo que tienes muy cerca, dentro de ti. Es el sentimiento de coherencia que tú sientes, no la coherencia que podría valorar tu familia, tus amigos, o la sociedad.

TU ESENCIA ESCONDIDA

Priorizar tu coherencia interior significa actuar según lo que sientes desde tu esencia. Aquí está el factor clave: tu esencia. Esta esencia se encuentra «protegida» por múltiples capas, que dan como resultado la imagen que das al exterior. Imagina un bombón con una avellana en el centro, rodeado de una capa de chocolate con leche, que, a su vez, está cubierta de una capa de chocolate crujiente y, por último, un envoltorio.

A todo el mundo le gusta ese bombón, con tantas capas y envoltorios. Pero en tu caso, si fueses ese bombón, tu esencia sería la avellana. Es lo que realmente eres: tus gustos, tus ilusiones, tus necesidades y tus sueños. El resto de capas estarían formadas por las diferentes máscaras que has creado de ti mismo. Por ejemplo, una que yo usaba mucho era la de estar «siempre dispuesto a ayudar a los demás», aunque no tuviese energía. Otra puede ser la de «quedar bien con todo el mundo», o la ser «autosuficiente y no pedir ayuda para no molestar».

Todos fuimos desarrollando máscaras, inconscientemente, para huir del miedo y cumplir con las expectativas de los demás.

De hecho, muchas de las expectativas que tienes, o has podido tener, sobre lo que debías conseguir en la vida, no son tuyas. Todos aprendimos, sin saberlo, que las expectativas de otros —padres, profesores...— eran más importantes que nuestros propios deseos.

En algunos de nosotros, esto ha hecho que la opinión de los demás nos haya hecho tomar decisiones que nos alejaban de nuestra esencia. No es que ellos sean culpables. Es, simplemente, que tú, en algún área de tu vida, aprendiste a valorar más lo que ellos ven coherente y cierto, que lo que tú sientes.

Hay una tecla para mejorar todo tu mundo: tu coherencia interior.

Siempre que des más importancia a la opinión de los demás que a tu propia intuición, estarás alejándote de esta tecla tan importarte que tienes tan cerca y que, muchas veces, colocas tan lejos.

EL CASO DE AUGUSTO

Hace unos días tuve la primera sesión con un hombre que ejerce un cargo político. Llevaba, según sus palabras, «unos años muy quemado». Había dejado de disfrutar su trabajo, y todo parecía agotarle y cabrearle. Tenía el sueño de estudiar coaching y dedicarse a ayudar a personas de manera individual, ya que había dejado de creer en la política como forma de ayudar a los demás. Para él, era más coherente contribuir desde un trato más cercano. Sin embargo, sentía una gran presión si se imaginaba tomando esa decisión de cambio. Llevaba más de un año con ese tema en la cabeza, pero no se había atrevido ni a contárselo a sus amigos.

En la sesión, analizamos las dos primeras decisiones que importan. Por un lado, consiguió entender su pasado y detectó qué piloto automático le había llevado a entrar en política y aguantar todo lo que aguantaba —una lealtad inconsciente a las expectativas de su padre—.

Por otro, vio muy clara la línea vital que quería marcar a partir de ahora. Pero encontró un freno en la tercera decisión: no priorizaba su coherencia interna frente a otras opciones. Le daba más valor a lo que los demás veían como coherente que a sus propios deseos. Sabía que le iban a decir que lo mejor era que siguiese con su cargo político, porque la gente le quería y podía hacer muchas cosas. Esos comentarios tenían mucho peso para él, y le hacían dudar y renunciar a su sueño. El motivo de su ansiedad e insatisfacción era que no se atrevía a llevar la contraria a la opinión de personas cercanas a él. Se dio cuenta de que había aceptado que «lo normal» era seguir con su puesto.

La normalidad es un camino pavimentado: es cómodo para caminar, pero nunca crecerán flores en él.

Vincent van Gogh

Utilizamos a menudo la palabra «normal» para diferenciar lo que es más común de lo que nos resulta más extraño. ¿Una playa normal o una playa nudista?, ¿un matrimonio normal o un matrimonio homosexual?, incluso ¿una persona normal o una persona rara? Pero, ¿qué es lo normal? ¿Te has parado a pensar quién decide en tu vida qué es lo que consideras normal? Piensa unos segundos cómo puede haberte influido hasta ahora aceptar como normal lo que te han enseñado que así es.

Nos ha pasado a todos, no eres una excepción. Lo importante es que te des el permiso de replantearte las verdades que has ido asumiendo. Porque pueden estar haciendo que tus decisiones te alejen de sentirte coherente contigo mismo. Yo, hasta hace unos años, pensaba que lo normal era que una persona homosexual ocultase esa parte de sí en determinados entornos. ¡Vaya tela con la normalidad! ¿Imaginas a qué me llevaba esa idea? Desde luego, ¡no era un lugar muy cerca de mi coherencia!

Tus verdades sobre lo que es normal son las creencias que maneja tu mente subconsciente, y que te han llevado a valorar tu vida, tus sueños y tus posibilidades de una u otra forma. Por eso es importante revisar si te están ayudando. Porque se sufre mucho cuando se acepta, sin filtro, que lo normal y lo importante es la visión que tiene un padre, una madre, o unas normas sociales establecidas hace años.

Tus creencias aprendidas pueden ir en contra de lo que tu coherencia necesita.

Te pondré un ejemplo cercano: ¿imaginas cuántas personas homosexuales (hombres y mujeres) han sido echadas de casa al decir a sus padres su orientación sexual? Hay muchas más de las que creemos, y no tan lejos de nuestras casas. Pero lo más grave no es eso, sino la cantidad de personas que han vivido su vida sin confesar a sus padres su verdad. Renunciaron a su coherencia interior por el miedo a ser rechazados.

Esto no solo pasa con la sexualidad. Muchas personas han renunciado a su coherencia por no llevar la contraria a sus padres en lo que estos entendían como normal. Unos decidieron estudiar Medicina, Derecho u otra carrera que no querían, renunciando a lo que realmente les gustaría. Otros establecieron un estilo de vida y un lugar de residencia cercano a ellos para no defraudarles. Estoy seguro de que conoces algún caso de este tipo. Es triste, porque cuando hacemos esto, perdemos libertad y ganamos sufrimiento.

Ahora es el turno de que te plantees si tú también estás perdiendo coherencia por mantener una «normalidad» asumida en algún área de tu vida. Es importante que no dejes que te pase lo mismo que a esas personas. No renuncies a ninguno de esos sueños que despiertan tu ilusión. Mereces disfrutar de la felicidad que aporta la coherencia.

A los demás, esos que se pueden incomodar por tus decisiones, no les haces ningún favor renunciando a tu esencia. Al contrario, merecen aprender de tu valentía. Serás pura inspiración para las personas a las que quieres. Al crecer tú, crecen ellos, porque les das una oportunidad de abrir su mente. Al principio puede que no lo vean y, posiblemente, no te apoyarán todo lo que desearías.

Pero verás que, a largo plazo, todos habréis salido ganando. Has venido aquí para aportarles algo diferente: tu esencia, y tu manera de vivir conforme a ella.

«Y ¿cómo sé si estoy priorizando mi coherencia?», te preguntarás.

No sabes lo que te entiendo. Yo me volvía loco cuando empecé a descubrir que casi casi tenía una doble personalidad: mi esencia y el personaje que me había creado.

Aprenderás a hacerlo con la cuarta decisión. Ahora quiero que entiendas que conformarte pensando que no sabes qué necesitas no es una opción.

No te creas que «eres» una persona que no sabe qué necesita para sentirse bien y que no es valiente para conseguirlo.

No puedes creértelo porque no es verdad. Puede que haya sido tu creencia durante tiempo, pero no es algo que deba ser así siempre. No estás marcado por tu genética, tu personalidad o tus circunstancias. Tú, en el fondo de tu ser, sabes lo que necesitas y mantienes el deseo de querer cambiar las cosas.

Hay algo que sí puedes hacer: descubrir **tu esencia**, eso que te hace diferente al resto y que, cuando lo conozcas bien, te ayudará a respetarte y sentirte a gusto contigo mismo. Por mucho que te hayan dicho que eres raro, o por mucho que hayas sufrido por sentirte diferente a lo que se esperaba de ti, ya no hay peligro en ser tú mismo. Ya no necesitas la aprobación de los demás. No necesitas un amor con condiciones. Ya no.

Cada uno tenemos una esencia, unas necesidades que cubrir y unos valores sobre los que vivir. Al conocerlos y vivir conforme a ellos, estarás viviendo con una **coherencia** interior que es la base para conseguir esa satisfacción personal que tanto deseas.

Olvídate de las etiquetas que te han puesto y los clichés con los que te has identificado. Todo eso es parte del pasado. Algunos serán parte de tu esencia, pero otros no. Comienza a descubrir qué es lo que necesitas hoy en día para vivir feliz. Para conseguirlo, sé flexible. Tienes derecho a cambiar de rumbo, a dejar de ser tan complaciente, responsable o perfeccionista como has sido hasta ahora. Ahora toca focalizar tu energía en ti y en tu autoconocimiento.

Descubrir lo que te aporta coherencia requiere dar prioridad a lo que sientes por encima de lo que piensas.

Cuando decides respetarte, no solo necesitas dejar de lado las expectativas de los demás. También tienes que tener mucho cuidado con las **expectativas** que has puesto en ti mismo. Es muy posible que te des menos valor del que realmente tienes, y sientas que no mereces grandes cosas. Por ejemplo, algunas personas se conforman con migajas de cariño de sus parejas. Mentalmente tratan de conformarse, porque quieren pensar que todo está bien, pero, interiormente, se sienten mal. Tienen una necesidad de amor que no está siendo cubierta. El problema es que no se atreven a manifestarlo y buscar una solución. No tienen la expectativa de que merecen más amor del que ya reciben.

Para que no caigas en esta trampa, es importante que aprendas a detectar tus etiquetas limitantes y tus expectativas limitadas.

Descubrir tu esencia implica dejar atrás lo establecido y buscar nuevas respuestas a través de tu autoconocimiento.

Cuando te escuches diciendo «yo soy así», tendrás la oportunidad de observar qué crees de ti y qué puedes esperar de ti. Las etiquetas son esos adjetivos con los que te describes, o dejas que te describan los demás. Exigente, responsable e independiente fueron las etiquetas que me llevaron a convertirme durante años en un alma solitaria adicta al trabajo.

Lo bueno de las etiquetas es que no tienes por qué arrastrarlas toda la vida. Ocurre como con las etiquetas de precio que les ponen a las prendas de ropa en las tiendas. Al ser algo añadido, no definen realmente a la prenda, ya que la calidad de esta no varía en función de si está rebajada o no.

Con tu esencia ocurre igual: es lo más característico e invariable de ti. Es algo que va contigo de siempre. Te ha acompañado durante toda tu vida, pero ha habido partes que has reprimido. Por ejemplo, podría formar parte de tu esencia ser una persona con afán de viajar y conocer diferentes culturas, ayudar a gente de forma voluntaria, desear vivir diferentes experiencias, crear belleza expresando tus sentimientos de alguna forma artística, como la pintura, la escritura o las manualidades.

Tu esencia está formada por una combinación de rasgos de este tipo. Si sientes que no los conoces y quieres descubrirlos, tendrás que darte el permiso de experimentar todo aquello que sientas que surge de tu interior. Quizá tienes algún deseo que lleva tiempo en tu cabeza, o alguna intuición que te dice que deberías probar algo... Para ello, tienes que pasar por encima de creencias como «no soy capaz», «no sé aprovechar las oportunidades», «no valgo», o «soy demasiado mayor». Solo pasando a la acción podrás descubrir cómo te hacen sentir esos mensajes internos. Cuando sientas plenitud, alegría y gozo estarás tocando esa avellana central del bombón que es tu esencia.

Nota mental:

✓ Apostar por mi coherencia interior es la mejor opción para todos. Incluso para aquellos que prefieren que nada cambie.

CÓMO DAR EL PRIMER PASO

Esta tercera decisión te habla de respetar tu coherencia a través de tus decisiones. Para ello, ya hemos visto que necesitas conocer tu esencia. Pero hay épocas en las que te sientes perdido. Sientes que no te conoces. Entras así en una **rueda de hámster**, de la que no puedes salir porque, al no conocer tu esencia, no puedes tomar buenas decisiones que aumenten tu coherencia interior.

Leer libros, acudir a terapeutas o realizar talleres son algunas de las opciones para conseguir información sobre ti mismo. Sin embargo, esto no es suficiente. Es necesario llevar ese conocimiento a la práctica. Pasar a la acción, comenzando a hacer cosas diferentes a las que hacías.

Dicho de otra forma, para conocer tu esencia, explotar todo el potencial que tienes y vivir con coherencia, necesitas empezar a **tomar decisiones sin tener una claridad absoluta** sobre tu esencia y tu potencial. No caigas en el engaño de necesitar más información sobre ti mismo antes de tomar una decisión.

Tan importante es conocerse como crearse a uno mismo. Ambos procesos se retroalimentan.

Para evitar que te bloquees y que tengas una excusa para no avanzar, te ofrezco unas pistas que te van a permitir saber qué decisiones te acercan o alejan de tu coherencia. Esas pistas son las **emociones** que sentirás cuando ya hayas tomado una decisión coherente contigo mismo.

Las tres emociones asociadas a la coherencia son:

- **El orgullo:** ¡Nunca te olvides de esta emoción! Es sana y debes buscarla con tus decisiones. Es la satisfacción interior que se siente al dar rienda suelta a la creatividad que llevas dentro, haciendo las cosas desde tu manera única de hacer las cosas, con ese punto que solo tú puedes imprimir a esa misión. Para sentirla es necesario activar tu **honestidad**, reconociendo y aceptando el valor que tienes y que aportas solo por ser como eres y hacer las cosas que haces a tu manera.

- **El amor:** Obtendrás coherencia cuando tomes una opción que te haga sentir que te estás respetando a ti mismo. Requiere que te des el permiso de ser tú mismo, sin pretender aparentar otra cosa ni querer que los demás entiendan tu decisión como la entiendes tú. Para ello, recurre a tu **coraje**, esa fuerza innata que tienes y que, a veces, olvidas.

- **La alegría:** Es tener esa sensación de que lo que decides te aporta libertad, y que siempre habrá una solución si hay que cambiar algo. Por tanto, la coherencia va asociada a decisiones que te permiten sentirte libre de ataduras del pasado y de limitaciones imaginarias en el futuro.

Analiza cómo de presentes han estado estas emociones en tu vida hasta este momento. Esto te ayudará a ver, en las diferentes áreas de tu vida, si has tomado decisiones que te permitían sentir coherencia o, por el contrario, te has dejado llevar por un piloto automático que priorizaba otras cosas.

A partir de ahora, ten presente estas tres emociones a la hora de decidir entre varias opciones. Imagínate en cada una de esas opciones, y observa cuál despertaría en ti más orgullo, amor y alegría.

Tus decisiones deben apoyar a tu esencia, esa que tiene su propia forma de soñar e ilusionarse.

Por ejemplo, vamos a imaginar que te sientes mal con tu trabajo y que estás pensando en cambiar. Podríamos decir que estás decidiendo entre estas dos opciones: cambiar de trabajo o quedarte con el que ya tienes. El primer paso sería imaginarte a ti mismo en un plazo de dos años. Crea un escenario para cada opción, sin dejarte llevar por el pesimismo, ni tampoco por un optimismo irreal. Observa cómo crees que te sentirías, después de dos años, en cada uno de los dos escenarios posibles. En la opción de cambio, no pienses en el cómo lo conseguirás, solo imagina que ya has conseguido tu objetivo. Compara en cuál de ellos están más presentes las emociones descritas. Si crees que el nuevo trabajo te va a hacer sentir más orgulloso y creativo (orgullo), complacido por haberte dado el permiso de ser honesto contigo mismo (amor), y te va a ayudar a sentir la alegría de superar tus limitaciones (alegría), entonces esa sería tu opción más coherente. A partir de ahí, puedes ir probando diferentes estrategias para conseguir ese cambio. A medida que lo vayas haciendo, irás obteniendo más información y podrás seguir revisando las emociones asociadas a cada escenario. Siempre te darán una pista de por dónde debes ir.

Nota mental:

✓ Apostar por mi coherencia interior es la mejor opción para todos. Incluso para aquellos que prefieren que nada cambie.

TUS LADRONES DE COHERENCIA

En este camino de vivir desde la coherencia, vas a encontrar fuerzas que suman y te impulsan, y fuerzas que restan y te detienen. Puede que, en muchos casos, pienses que son los demás los que te impiden priorizar tu coherencia. Pero, en el fondo, eres tú quien te pones los límites. Nadie tiene el poder de limitarte esta coherencia, salvo que tú se lo concedas. Otorgas ese poder cuando te dejas llevar por alguna de estas dos fuerzas que te restan coherencia:

- **Tu diálogo interno limitante:** son ladrones de coherencia todas esas frases hechas que forman parte de tu lenguaje diario y que, aun teniendo una carga negativa, crees que no tienen mucha importancia. ¿Ejemplos? Hay muchos: «no tengo tiempo», «siempre pasa lo mismo», «todos son iguales», «soy un desastre», «nadie me entiende», «no me da la vida»... Al decirte esas frases, tu cerebro las entiende como **tu verdad**, y las tendrá en cuenta cuando decidas hacer cosas que pueden estar relacionadas con ellas: iniciar un nuevo reto, conocer gente, organizar tu agenda, etc.

   Para disminuir esta fuerza, comienza a hablarte con cariño, resaltando lo que haces bien, lo que has mejorado, tu capacidad para aprender, tus virtudes... Toma un papel y bolígrafo, y construye tres frases que te potencien y que te ayuden a sentir más **energía** y más **amor a ti mismo** en este momento de tu vida. Por ejemplo:

✓ Soy capaz de lograr mis objetivos.

✓ Tengo talento y me permito expresarlo.

✓ Tengo el poder de decidir cómo sentirme.

✓ Me gusta cuidarme y crecer cada día.

✓ Me doy permiso para realizarme.

Crea las frases que más te ayuden en este momento de tu vida. Toma la decisión de repetirlas o escribirlas a diario. Elige un lugar donde acceder a ellas y un momento del día para hacerlo, y considéralo como el hábito de lavarte los dientes. Tener un diálogo interno limpio es igual de importante. A medida que avances, podrás ir cambiando las frases que te repites. Yo no creía en este entrenamiento mental, hasta que lo hice bien, habiendo realizado previamente las dos decisiones anteriores: reconciliarme con mi pasado y decidir mi futuro. Entonces sí tuvo sentido este trabajo mental. ¡Pruébalo!

- **Tus vicios emocionales:** son todas esas emociones que surgen en ti con una facilidad pasmosa. Son desagradables y te llevan a sentirte mal, sin ganas, sin confianza y sin opciones, por eso roban tu coherencia. Un ejemplo es la frustración, la tristeza o el enfado. Son emociones que se convierten en un vicio para tu sistema nervioso cuando las has sentido en muchas ocasiones. Y esto ocurre cuando tienes creencias limitantes sobre ti mismo. Por eso es importante que te hagas consciente de ellas y las cambies por otras que te potencien. Utiliza el ejercicio anterior para introducir estas nuevas creencias en tu diálogo interno. Y recuerda que este ladrón de coherencia es solo eso, un vicio. Responde al hábito de pensar con unas determinadas creencias. Las dos siguientes decisiones te ayudarán a cambiar este hábito.

Como ves, tienes dos ladrones de coherencia bastante arraigados. Pero... ¡no te aflijas! Te presento dos fuerzas que te ayudarán a reforzar tu coherencia interior. Aquí las tienes:

RESPÉTATE: PRIORIZA TU COHERENCIA

- **Soñar en grande:** consiste en utilizar tu imaginación en positivo. Date el permiso de soñar, imaginando lo que ahora te parece imposible, aquello que te gustaría alcanzar, que sientes que te daría felicidad y placer. No seas remilgado con esto, no te creas la película de que soñar es de ilusos, avariciosos o infelices.

Cuando te permites soñar, estás sobrevolando las barreras que te separan de tu coherencia.

Esta lección fue la que me permitió soñar que un día podría ser escritor y ayudar a miles de personas con mi trabajo. Te aseguro que hasta entonces había despreciado todo lo relacionado con la imaginación y la fantasía.

Aceptar tus sueños te permite tener presente el propósito superior que realmente buscas con tus acciones. Gracias a ello, dejarás de ser tan influenciable por las cosas que van surgiendo cada día, así como por el placer a corto plazo que hace flaquear tu voluntad. Tener una visión más a largo plazo te ayuda a mantener la dirección que has decidido. La gratificación instantánea, la pereza y las excusas perderán fuerza ante esta nueva visión que te da el propósito superior de tus sueños.

Tener una visión a largo plazo te ayuda a mantener tu motivación y compromiso con la decisión que has tomado.

Elige una decisión que quieras tomar o ya has tomado, pero que te cuesta mantener. Por ejemplo: leer más, hacer más ejercicio, comer menos ultraprocesados... Piensa qué sueño te ayuda a conseguir y qué propósito superior tiene esa decisión que para ti es importante. Por ejemplo, a parte de mejorar tu salud, el hacer más ejercicio puede permitirte conocer a nuevas personas, encontrar pareja, o prepararte para vivir esa experiencia que tanto deseas. Encuentra tu propósito para esa decisión que quieres tomar, y recuérdalo cuando sientas que te falta motivación para mantener tu coherencia contigo mismo.

- **Permanecer en un aprendizaje continuo y compartido:** estar abierto a recibir nuevas ideas te va a aportar mucha información sobre ti mismo y sobre lo que te ayudaría a sentir coherencia interior. Puedes hacerlo solo, pero te recomiendo que no te empeñes en profundizar en tu autodescubrimiento tú solo, porque te estarías perdiendo algo importantísimo: aquello que otras personas te pueden hacer ver de ti mismo.

El trabajo en equipo no solo beneficia a los proyectos empresariales, también al desarrollo personal. La fuerza del grupo es inmensa, por toda la información que puedes recibir de ti mismo a través de los demás. También te ayudará mantener conversaciones con amigos y familiares sobre estos temas. Si no tienes con quién, empieza a buscar. Acude a talleres, conferencias o cursos de los temas que te atraigan.

Aprende a observar todo lo que acontece en tu entorno y a identificar aquellas personas y eventos que tienen algo que aportarte. En la vida todo está directa o indirectamente relacionado, y puedes beneficiarte de ello si consigues nutrirte de las experiencias de los demás.

Para ello, es importante practicar la **escucha activa**, tratando de entender a los demás y observar sus propósitos superiores, sus pilotos automáticos y sus autosabotajes. Lo conseguirás escuchando no solo lo que el otro está expresando, sino imaginando también los pensamientos y sentimientos que hay detrás de lo que está diciendo. Recuerda acudir a todos los encuentros en los que participes con la intención de sacarle el máximo partido, aportando y recibiendo de los demás.

Potencias tu coherencia interior cuando sales de tu cueva y te relacionas con nuevas ideas y personas.

EJERCICIO PARA POTENCIAR TU COHERENCIA

Vamos a poner las cartas sobre la mesa. Necesitamos ver cosas concretas en las que puedas aumentar esta coherencia interior. Es decir, vamos a ver cómo puedes ser más auténtico, dejando de mostrar aquello que crees que deberías ser, que se espera de ti para agradar a los demás o a la imagen que creaste de ti hace tiempo.

Hay situaciones en las que te criticas a ti mismo, cuando en realidad lo que deberías decirte es:

- No puedo con esto.

- Me siento débil para afrontar esto.

- Esto me da pánico.

- Necesito ayuda con esto.

- Esto se me da muy mal y finjo que se me da bien para agradar a alguien.

Cuando no eres auténtico, generas una coherencia y una deuda con los demás. Y lo hacemos todos, incluso con personas que queremos como nuestros padres, hijos, pareja... En el fondo, **el enemigo de la autenticidad es la vergüenza**. Y para superarla, necesitas reconocerla y afrontarla.

1. Haz una lista con **tres situaciones** en las que podrías ser más auténtico.

   Por ejemplo, para una persona que se siente sola podría ser el hecho de reconocer que le vendría bien iniciar una nueva relación, aunque le da pánico y no se lo haya dicho a nadie, hasta ahora.

2. Ahora, responde a estas preguntas:

- *¿Qué acciones concretas puedes hacer para mostrarte más auténtico, a pesar de la vergüenza?*

   Para la persona del ejemplo anterior, podría ser decirle a un amigo, familiar o profesional cómo se siente. También podría apuntarse a un plan que antes habría rechazado, haciendo como que no necesitaba ese tipo de planes para conocer gente.

- *¿Cómo te sentirás una vez realizadas?*
- *¿En qué momento puedes hacerlas? Agéndalas.*

3. A la hora de realizar esas acciones, apóyate en estas dos decisiones:

- Decide amar y confiar. No esperes una seguridad que no existe.
- Decide ser suficiente. No eres perfecto, pero eres suficiente y siempre puedes mejorar. Si hoy decides que ya eres suficiente, con espacio para mejorar, ya no te hará falta esconder tu autenticidad y traicionar a tu coherencia.

RESUMEN DE LA DECISIÓN 3

La tercera decisión que importa te anima a respetarte, priorizando tu coherencia interior. Lo contrario sería decidir por lo más cómodo, lo más seguro o lo que se espera de ti. Y esto crea incongruencias entre lo que deseas y lo que vives, haciendo que aparezcan esos ladrones que roban tu felicidad.

El proceso para disminuir esa distancia entre lo que sientes y lo que deseas sentir es el camino del autoconocimiento, que te lleva a **descubrir tu esencia** y liberar ese potencial que sabes que tienes pero que no terminas de liberar.

Para mantenerte firme en esta decisión es necesario reconocer cómo te sientes ahora y qué deseas mejorar. Soñar en grande, abrirte a un aprendizaje continuo y compartido, y encontrar propósitos superiores que te motiven te ayudará.

De entre todas las opciones que tengas, elige aquella que más te haga sentir un cóctel de orgullo, amor y alegría. Para ello, deja de dar importancia a la información externa y reconoce los sentimientos que te aportará cada opción que te planteas elegir.

Incluir actividades en tu agenda cuya única finalidad sea estar contigo mismo es una buena forma de priorizar esta coherencia que buscas. Tendemos a llenar la agenda de actividades necesarias para el trabajo, la familia o la salud. En ellas, suele haber poca creatividad y, al haberse convertido en rutinas, nos hacen sentir poco amor a nosotros mismos y no demasiada alegría.

Ejemplo personal:

En junio de 2017 cumplía 40 años. Algunos de mis amigos ya habían pasado por este cumpleaños tan especial, y todos habían hecho una gran fiesta para celebrarlo. Yo acababa de llegar de pasar cuatro meses en Tailandia, y tenía un plan: me había propuesto completar el Camino de Santiago.

Dos años atrás había dedicado ocho días de mis vacaciones a caminar desde los Pirineos hasta Santo Domingo de la Calzada, en La Rioja. Mi intención era llegar, algún día, a Santiago de Compostela. Me lo había propuesto como una experiencia para sentirme a mí mismo en un entorno diferente y con un reto que nunca me había propuesto. Además, quería romper con mi estilo de vacaciones habituales y dedicar tiempo a conectar con la naturaleza y con las personas que me fuese encontrando, sin exigencias ni expectativas.

Cuando llegué de Tailandia, consideré que era el momento de terminar esa experiencia. Pero había un problema: mi cumpleaños me coincidiría en uno de esos veintidós días que me faltaban para terminar mi viaje. Mis amigos me decían que cómo me iba a pasar el día de mi 40 cumpleaños yo solo. Después supe que llevaban tiempo organizándome una fiesta sorpresa. El caso es que para mí tenía todo el sentido del mundo terminar el Camino de Santiago en aquel momento, yo solo y sin romper la magia que surge cuando te adentras en la rutina del Camino. Sabía que era una experiencia intensa que quería vivir de esa forma. Tomé la decisión de seguir a mi instinto, a pesar de que muchos esperaban que cambiase de idea.

Aquella forma original de pasar ese día fue algo muy especial que siempre recordaré. Además, sin yo saberlo, le di la oportunidad a mi pareja de hacer una de las cosas más bonitas que alguien ha hecho por mí. Apareció por sorpresa en el pequeño pueblo de León en el que acababa aquella jornada de caminata. Nunca olvidaré aquel día que viví así gracias a priorizar mi coherencia.

Ideas para recordar:

✓ Aquello que nace de ti es la mayor fuente de coherencia. Para darle espacio en tu vida, deja de priorizar lo de afuera (opiniones de otros, recomendaciones...) a base de silenciar lo de adentro (tus sentimientos, tu intuición, tus deseos...).

✓ Reconoce tus vicios emocionales, tu diálogo interno limitante y tus etiquetas, y no te dejes arrastrar por ellos. Los creaste para protegerte, no para disfrutar de una vida plena. Ahora quieres más. Mereces más.

✓ Permítete soñar y mantenerte en un aprendizaje continuo y compartido.

.

DECISIÓN 4:
POTENCIA TU MENTE EXPLORADORA

Disfrutar tu propia felicidad requiere el entusiasmo de un niño y el compromiso de un adulto.

Todos y cada uno de nosotros podemos utilizar la mente de dos formas muy diferentes. Una de ellas nos acerca a sentir felicidad y coherencia. La otra, nos puede dar momentos de placer, pero nos aleja de una felicidad estable y duradera. Tú eres capaz de decidir qué tipo de mentalidad utilizar, aunque no sea la que tienes más entrenada.

Por un lado, está la **mente agotadora**. Utiliza todas esas ideas que te mantienen dando vueltas a tus problemas, sin encontrar una solución. Y esas ideas son las famosas «creencias limitantes», que te llevan a tomar «decisiones limitantes». Todo esto genera una mentalidad de supervivencia: prefiere que te quedes como estás antes que asumir riesgos.

Por otro lado, está la **mente exploradora**. ¿Imaginas cómo pensaba un explorador de hace siglos que iba descubriendo nuevos territorios de los que no se sabía nada? Pues esa es la mentalidad que favorece tu felicidad. Está formada por pensamientos que te ponen las pilas y te ayudan a trazar tu línea vital deseada, buscando tu coherencia a pesar de tus pilotos automáticos aprendidos. Pero, además, tiene una peculiaridad: no es egoísta dándole importancia únicamente a los pensamientos. También escucha a las emociones y la intuición. Sale de la mente para irse al cuerpo, a sentir. Y no solo utiliza la inteligencia racional, sino que, además, activa la inteligencia emocional.

TU VIDA ES UN MUNDO POR EXPLORAR

Esta segunda mentalidad es la que necesitas cuando deseas superar tus retos. Es la que te ayuda a dar más valor a la **oportunidad de crecer** que a los riesgos que puede suponer.

Por supuesto que un explorador tiene miedo. Se mueve en un terreno desconocido y de incertidumbre, pero eso no le paraliza. Utiliza el miedo a su favor: sabe que necesita prepararse y protegerse, y lo hace. Pero también es consciente de que la incertidumbre siempre estará ahí. Por ello, decide ver el lado positivo: es justo en esa incertidumbre donde crecerá, desarrollará nuevas habilidades y disfrutará conociéndose mejor y descubriendo cosas que antes no conocía.

Recuerda que, cuando estás viviendo una situación que te hace sufrir, la mejor receta para seguir sufriendo es acomodarte y evitar la incertidumbre.

EL CASO DE ROSA

Te contaré el ejemplo de una persona a la que acompañé con un proceso de coaching. Su objetivo era aprender a sentirse mejor con ella misma y conseguir calmar su mente. Cuando empezamos a entender su pasado, se dio cuenta de que todas sus decisiones las había tomado por un miedo a defraudar a los demás. No se permitía priorizar el amor a sí misma a la hora de decidir. Esto le había llevado a vivir una vida muy «segura» a nivel laboral y sentimental, pero en la que se sentía enjaulada.

Descubrió que no se había dado el permiso de explorar lo que ella realmente hubiera deseado. Una de las cosas que más había querido era irse de Madrid y vivir en una ciudad con mar. De hecho, tenía el deseo de irse a vivir a la costa, al jubilarse. Pero reconocía que no se lo terminaba de creer. Decía que ya había tenido otros deseos que habían quedado en sueños incumplidos.

Uno de los objetivos que se marcó fue darse el permiso para explorar sus deseos. No había desarrollado nada esta parte de su mentalidad. Toda su energía la había empleado en buscar la seguridad que le daba hacer lo correcto, lo que su entorno entendía como «lo mejor para ella». Había adquirido la creencia de que si ella decidía por sí sola, podía cometer muchos errores.

Este miedo a lo incierto le había creado un montón de creencias limitantes, que le impedían liderar su vida. Por eso no se gustaba a sí misma, y por eso le producía ansiedad su futuro. En cuanto Rosa comenzó a dar rienda suelta a su parte exploradora, tomando pequeñas decisiones que la sacaban de su zona de seguridad, se dio cuenta de lo bien que esto le hacía sentir.

Tu cuerpo pierde libertad con los años; tu mente, puede ganarla. ¿Cómo? Cambiando tus pensamientos limitantes.

Esta cuarta decisión que importa te indica que, de todas las opciones que tienes, debes valorar aquella que más te aleje de tu mentalidad limitante. Porque cuanto más utilices esa parte exploradora que todos tenemos, más fácil te resultará acercarte a los objetivos que deseas.

Todos hemos utilizado esta mentalidad valiente en determinados momentos de nuestra vida. Tú también. El caso es que hay épocas y circunstancias que hacen que desactives esta opción y te muevas hacia una **mente agotadora**.

Por ejemplo, imagina que necesitas mejorar tu relación sentimental. Sientes que has caído en la monotonía, que tu pareja no cubre tus necesidades y cada vez tienes más dudas. Tu **mente exploradora** te llevaría a hablar con tu pareja para buscar soluciones. Sin embargo, si tienes mucho miedo a que se enfade o te rechace, entonces ese miedo activa tu **mente agotadora**. Inconscientemente, has tomado una decisión: la de dejar pasar un día más. Esto hace que tu mente agotadora se vaya reforzando en esta área de tu vida, por lo que tratarás de quitarle importancia a tu malestar y mirarás para otro lado. Tu mente exploradora estará muy desentrenada en esta área, y cada vez te costará más explorar nuevas soluciones.

Para que puedas detectar a leguas cuándo tu **mente agotadora** comienza a coger el control, te presento las diferentes máscaras bajo las que se esconde. Léelas observando con cuáles te identificas en relación a un reto que lleves tiempo queriendo superar.

☐ **La quejica:** siempre es capaz de encontrar un pero a todo. Hace que nada te venga bien. Aumenta tu indecisión a base de encontrar defectos y problemas por doquier.

☐ **La rastreadora:** te anima a comparar todo con todo. Te hace pensar que te falta información, que necesitas más referencias. Así consigue distraerte y que tomes la decisión de dejar pasar el tiempo.

☐ **La parches:** estás poseído por esta mentalidad cuando quieres solucionarlo todo rápido, sin pensar mucho y sin buscar una solución definitiva. Te hace sentir tranquilidad a corto plazo, pero es un engaño, ya que la decisión que te hace tomar minimiza el problema, pero no lo resuelve.

☐ **La divergente:** tiene la habilidad de hacerte mirar para otro lado. Te lleva a darle más importancia a otras cosas, dejando que el problema que tienes se mantenga oculto, como si no existiese.

☐ **La trágica:** es muy dramática, ya que busca un problema más grave para quitar importancia al que quieres resolver. Con ello consigue que le quites importancia a ese tema concreto. Te hace pensar que no vas a arreglar nada solucionando pequeños problemas si no arreglas antes el principal problemón que tienes. Y como ese problemón es tan grande, no encuentras la forma de empezar, lo cual aumenta el drama, la presión y tu indecisión.

Como ves, son solo estrategias de tu mente para evitarte tomar decisiones. Por ello, necesitas que tu mente esté más predispuesta y entrenada para explorar que para agotarte.

Mente agotadora	Mente exploradora
Se queja.	Se centra en lo que depende de ella.
Se compara en negativo.	Utiliza a los demás para motivarse.
Huye de los problemas.	Acepta su situación, sin mentiras.
Busca excusas.	Busca oportunidades de mejora.
Desea soluciones rápidas.	Desea dejar atrás definitivamente sus limitaciones.
Imagina en negativo.	Visualiza en positivo.

Potenciar tu mente exploradora es una tarea diaria. Tú y yo tenemos, sin enterarnos, una parte agotadora que nos quiere proteger de aquello que nos da más miedo. Y esas personas que parecen tan seguras de sí mismas, también. Y aquellas que parece que están tocadas por una varita mágica, lo mismo.

Todas las personas luchamos una batalla interior contra nuestra mente agotadora.

La magia que supone vivir una vida que te hace sentir bien es algo que tú creas. Lo has vivido en alguna época. Esa magia aparece cuando tu mente exploradora toma el control. Por eso yo digo que los milagros existen. Porque es increíble el cambio que generas cuando pasas de estar en **modo agotado**, a estar en **modo explorador**. Tu mente se abre y tu capacidad de generar opciones es un milagro si lo comparas con el **modo agotado**, en la que no surge la chispa necesaria para que la magia aparezca.

EJERCICIO: TRES DÍAS BUENOS

Para comenzar con este entrenamiento diario, te invito a seguir tres pautas durante los próximos tres días. Son herramientas que puedes utilizar siempre que desees activar tu mente exploradora. Después de esos tres días, valora cómo te has sentido y lo que podrías conseguir si lo incorporases como un hábito.

- **Reconoce tus logros.** Cada día, al acostarte, recuerda tres cosas que te hagan sentirte orgulloso. Acostumbra a tu mente a valorar los pequeños detalles y los avances más insignificantes. Todo cuenta para despertar al explorador que llevas dentro. No sabes lo que me costó a mí comenzar con este hábito. No estaba acostumbrado a reconocer mis logros, no daba valor a lo que iba consiguiendo. Gracias a este hábito ahora disfruto mucho más del día a día, y me permito celebrar cada paso que me acerca a mis objetivos más importantes.

- **Valora tus recursos y fortalezas.** Muchas veces olvidas todo lo que ya tienes y que te puede ayudar a conseguir tus metas. Puede ser dinero, contactos, amistades, salud, conocimientos, experiencias, entorno... La mente suele fijarse más en lo que falta que en lo que ya tiene. Para cambiar esto, cada mañana, al despertarte, piensa en tres cosas que tienes a tu favor para conseguir los propósitos de ese día.

- **Permítete anticiparte.** Un explorador no puede estar en el momento presente el cien por cien de su tiempo. Necesita imaginar lo que desea vivir. Es el motor que le anima a seguir. Por ello, te animo a trabajar tu imaginación cada día. Solo necesitarás un par de minutos. Antes de poner el primer pie en el suelo al amanecer, imagina algo que te gustaría vivir ese día y que, si te descuidas, no harás. Pueden ser pequeñas cosas, como llamar a un amigo, hacer unos estiramientos, dar un pequeño paseo, tomarte algo en tu sitio preferido o escuchar ese pódcast que te gusta. Al imaginarlo y crearlo en tu mente, te será mucho más fácil darle prioridad.

Nota mental:

✓ Permitir incertidumbre en mi vida abre oportunidades para mejorarla.

✓ La mejor forma de ayudarme a estar mejor es potenciando mi mentalidad exploradora.

IMAGÍNATE Y DESCUBRE

¿Sueles utilizar tu imaginación? Generalmente la utilizamos para anticiparnos y ver los futuros problemas que podemos tener. Pero hay otra forma de utilizarla, que ya hemos visto: la visualización creativa.

Si tus padres o profesores hubieran tenido la mentalidad de Walt Disney, habrías aprendido a utilizar la imaginación de una manera muy creativa. Sin embargo, la mayoría de nosotros le damos a esta capacidad de nuestro cerebro un poder destructor, más que creador. Al imaginar escenarios que nos dan miedo, destruimos nuestros sueños para evitar el fracaso o la crítica. ¡Duro, pero cierto!

**Vendemos nuestros sueños por la seguridad
que nos aporta quedarnos como estamos.**

Para no seguir vendiendo tus sueños, necesitas incluir en tu proceso de toma de decisiones a tu inteligencia menos racional. Esa que depende de los procesos neuronales que se desarrollan más en el hemisferio derecho: tu inteligencia más intuitiva y creativa. Esa parte es la que trabajas cuando realizas el ejercicio de la visualización creativa. Y es la que potencias cada vez que prestas atención a tu intuición.

Para tomar buenas decisiones no basta con tu inteligencia racional, esa que tienes tan entrenada y que es tan útil para tu trabajo, la gestión de tu hogar y el cuidado de tu salud. Si solo te guías por ella, te estás perdiendo una parte importante de tus recursos.

La primera fase a la hora de tomar decisiones es la que siempre has hecho, la de **pensar y racionalizar**. En un primer momento recabas información y analizas los pros y contras. En el mejor de los casos, te informas, pides opiniones y buscas referencias que te aporten datos sobre las opciones que tienes —a veces no hacemos ni eso, y ni siquiera llegas a plantearte con claridad las opciones que tienes—.

Pero el proceso no puede quedarse aquí. Porque en esa fase es muy fácil que tome el control tu mente agotadora. Comienzas a dar vueltas a las diferentes opciones que tienes, y ninguna parece adecuada del todo. En realidad, lo que está pasando es que tu mente quiere evitar que decidas salir de tu zona de confort. Y, para ello, utiliza **un proceso de evitación**, cuya misión es entretener a tu mente y evitar que tomes una decisión. Este es el proceso conocido como la «rumiación mental».

Sí, todas esas veces que entras en bucle dándole vueltas a un problema, pasando horas, días o semanas sin quitártelo de la cabeza, se ocasionan porque tu **mente agotadora** utiliza esta estrategia para evitar algo que, inconscientemente, identificas como peligroso. Si te pasa a menudo, es que tu mente lo ha adquirido como un **hábito** para despistarte, con el objetivo de que sigas igual.

La misión de ese **runrún mental** es que dejes pasar el tiempo y sigas justificándote en que no sabes qué hacer para salir de la situación en la que estás. Es cruel, pero ya te comenté que tu mente subconsciente no se encarga de tu felicidad, sino de tu supervivencia. ¿Recuerdas?

Para salir de esta trampa hay algo que ya hemos visto que necesitas hacer, y que quiero remarcarte: salir de tu mente y bajarte al cuerpo. Sentir. Dar importancia a tus emociones. Observar qué ocurre en tu cuerpo cuando te visualizas habiendo conseguido el objetivo que te aporta cada una de las opciones. No es momento de pensar en **cómo** lo vas a conseguir. Solo tienes que focalizarte en **qué** vas a sentir cuando lo consigas. El **cómo** ya irá saliendo, conseguirás realizar el camino, aprendiendo, pidiendo ayuda y superándote a ti mismo. Siempre ocurre. Por ello, el faro que debe guiarte no son las adversidades del camino, sino cómo te vas a sentir a medida que lo vayas realizando.

**Si es bueno vivir, todavía es mejor soñar,
y lo mejor de todo, despertar.**

Antonio Machado

Tener sueños e imaginar lo que deseas para tu vida es una parte fundamental de la mente exploradora. ¿Qué hubiera pasado si Edison no hubiera imaginado que podía crear algo que diese luz sin necesidad de utilizar una vela? En aquel momento, esa idea parecía descabellada. Sin embargo, Edison lo soñó y eligió la opción de conseguirlo. No se centró en la dificultad que le iba a suponer el proceso. Hizo cientos de intentos fallidos hasta que consiguió crear la bombilla. Supo centrarse en lo que le iba a aportar a él, y a los demás, el conquistar ese sueño.

Si leyendo este libro has descubierto que te cuesta tener sueños, te felicito: has encontrado una pieza clave que te faltaba para tomar mejores decisiones y vivir una vida que tenga más sentido para ti.

Como toda habilidad, hay que entrenarla. Vas a necesitar hacer un pequeño esfuerzo para despertar esta capacidad de tu cerebro de generar sueños. El ejercicio de este capítulo te ayudará con esta misión.

LA VOCECILLA QUE TE PUEDE AYUDAR

Por otra parte, activar tu mente exploradora implica darle voz a esa parte de tu mente que te habla muy bajito, pero que tiene información de mucho valor para ti: **tu intuición**.

Al contrario de lo que pueda parecer, la intuición ha sido muy estudiada a nivel científico, ya que es considerada por grandes expertos de la psicología como una herramienta clave a la hora de tomar decisiones. Un científico de la calidad de Einstein llegó a decir que la intuición es lo único verdaderamente importante.

Todos tenemos la capacidad de intuir, pero es cierto que las personas muy mentales hemos desarrollado menos esta facultad de la mente. Así que aquí tenemos otra área de mejora para tomar buenas decisiones.

POTENCIA TU MENTE EXPLORADORA

La intuición es un recurso de guía interior, que te hace saber cosas, sin saber cómo las sabes.

Para desarrollar tu intuición necesitas bajar el volumen de tus pensamientos más racionales y desarrollar tu inteligencia emocional. Daniel Goleman, autor del libro referente *Inteligencia emocional*, recomienda trabajar la calma mental para poder ser más receptivos a estas señales que surgen de tu interior. Él lo llama «pensar zen». Para conseguirlo, te animo a comenzar con breves ejercicios de *mindfulness*.

Si no has meditado nunca, puedes comenzar con la **meditación de un minuto**. Consíguela en mi pódcast *Mente, ¡déjame vivir!* y practícala durante una temporada. Puedes empezar una vez al día y luego ir aumentando hasta tres veces por día. Después, da un paso más allá y comienza con meditaciones guiadas que duren tres o cinco minutos. Poco a poco, irás adquiriendo este hábito de bajar las revoluciones de tu mente. Entre otros beneficios, estarás creando un acceso más directo a esa guía interior que es tu intuición.

Si te cuesta adquirir este hábito de meditar, al menos trata de reducir el ritmo de tu día a día. Incluye unos minutos de descanso entre las diferentes tareas. Necesitas dedicarte tiempo. Es la mejor forma de observarte, conectar con tu interior y aprovechar toda la información que tiene para ti.

Otra estrategia para potenciar tu intuición es **fomentar tu creatividad**. Para ello, necesitas experimentar cosas nuevas. Puedes empezar con cosas tan sencillas como lavarte los dientes utilizando la otra mano. Después, invéntate diferentes formas de prepararte el desayuno o de combinar tu ropa.

Tanto la intuición como la creatividad necesitan que confíes en ti, así que no tengas miedo a los cambios ni a equivocarte. Recuerda que el ensayo-error es la forma de aprender cualquier habilidad, incluida la intuición. Presta atención a las señales de tu cuerpo como son que el vello de tu piel se erice, que se dibuje una sonrisa en tu rostro, que tus ojos se humedezcan, que tu pecho se relaje o que tu mente se expanda. Son señales que te indican que por ahí debes explorar. Investiga qué pasa si les haces caso.

Y, por supuesto, no te olvides de aprovechar cualquier oportunidad que te invite a conocer y gestionar tus emociones. Forman parte de esta voz interna que te puede ayudar. Un taller de gestión emocional debería ser el regalo que todos hubiéramos recibido al cumplir los dieciocho años.

Nota mental:

✓ Dentro de mí hay algo que sabe lo que quiero y lo que tengo que hacer para conseguirlo.

LAS PAUTAS DE LA MENTE EXPLORADORA

Sería bonito que la mente entrase en modo explorador cada vez que quisiéramos, ¿verdad? Nos impulsaría hacia nuestros objetivos a toda máquina. Sin embargo, es difícil estar siempre en este modo, y más cuando tu cultura y educación han ido enfocadas prioritariamente hacia la seguridad y la protección —trabajo fijo, pareja para toda la vida...— dejando a un lado la superación personal como estrategia alternativa para crear tu propia felicidad.

Pero no pasa nada. Si con el modo agotador como director de tu mente has conseguido todo lo que has conseguido, ¿imaginas lo que puedes vivir si comienzas a potenciar tu mente exploradora?

El *coach* más conocido del mundo, Tony Robbins, se ha hecho famoso a base de activar esta mente exploradora en miles de personas, algunas tan conocidas como Bill Clinton y Oprah Winfrey. Él cuenta que vivió una infancia con mucho caos y muy baja autoestima. Abandonó su casa a los 17 años, después de que su madre le amenazara con un cuchillo. Conectó con el desarrollo personal al trabajar organizando eventos para un *coach* de su localidad. El gran aprendizaje que obtuvo, y que le permitió desarrollar su impresionante carrera, fue entender que tu calidad de vida depende de **lo que haces con las cosas que tienes, es decir, no estás determinado por tus circunstancias.**

Para poder sacar siempre el mayor provecho a lo que tienes en tu vida, necesitas unas pautas. Si no, tu mente tenderá a la seguridad y tratará de acomodarse. Al incluir estas pautas en tu vida, el razonamiento mental que realizarás en futuras decisiones irá cambiando. Cada vez estará más presente ese **modo explorador** que te ayudará a ir dibujando la línea vital que tú decidas.

Al leer las siguientes seis pautas, observa y anota cuáles de ellas crees que necesitas potenciar más. Te animo a puntuarlas del 1 al 10, siendo 1 que está muy poco presente en tu vida, y 10 que ya lo tienes integrado.

1. Vive nuevas experiencias

Muchas veces no sabes por dónde empezar para salir de una mala época. En la rutina hay poca variedad y, por tanto, poca opción de crecimiento. Por eso es importante que, cuando desees un cambio en algún área de tu vida, te abras a nuevas experiencias. En algunos casos te llegarán oportunidades en forma de invitaciones de conocidos. En otros, tendrás que ser tú quien busque esas nuevas experiencias. El caso es que estés atento a todo aquello que despierte, aunque sea mínimamente, tu interés.

Sé que hay épocas en las que uno no tiene energía para hacer planes que nunca antes había hecho. Ya hemos hablado de que es importante vivir las zonas valle cuando sea necesario. Una vez recargada tu energía, utilízala para crear nuevas experiencias. Son ellas las que te aportarán ideas originales que podrían despertar un nuevo proyecto que te apasione. Al probar cosas nuevas, te expones a personas distintas a las habituales, conoces estilos de vida diferentes y obtienes nuevas perspectivas que te hacen replantearte la forma de vivir tu problema.

Este hábito activa tu mente exploradora porque implica retarte a ti mismo, superando los límites que, un día, te pusiste. Supone, nada más y nada menos, que **abrirte a aprender del mundo que te rodea**. ¿Te das cuenta de lo que eso significa? Te aseguro que no hay una escuela mejor para conocerte y recuperar la confianza en ti.

Puntuación del 1 al 10:

2. Desarrolla tu paciencia

¡Qué dolor! Hasta hace unos pocos años, cada vez que alguien me decía eso de «tienes que tener paciencia», yo pensaba: «Ya están queriendo consolarme». Lo veía como un intento de quererme ocultar que era incapaz de conseguir aquello que deseaba.

Aunque nos cueste aceptarlo, la mente exploradora requiere paciencia. Y no solo la requiere, sino que se convierte en su aliada. La ayuda a no sufrir en el proceso y a no tomar decisiones equivocadas.

Tener paciencia es una virtud que te permite aceptar una realidad: no tienes el control de muchas cosas. Asumir esta falta de control te cuesta porque te recuerda otra época: la de tu **niño interior herido**. Sí, ese niño que fuiste y que sufrió por sentirse pequeñito, incapaz, infravalorado... y que no podía controlar ciertas cosas que, posiblemente, eran bastante injustas. Ese niño interior vive en tu mente subconsciente, y quiere evitar todo lo que pueda parecerse a aquellas experiencias incómodas. Sí, a él le gusta tu zona de confort.

Como adulto, has aprendido que nada verdaderamente enriquecedor se consigue sin dedicarle tiempo. Los cambios importantes requieren su tiempo y, sobre todo, tu constancia.

Eso sí, la paciencia, para que sea una virtud que te ayude en la toma de decisiones, debe estar unida a la **observación**. No es una paciencia pasiva, en la que dejas que pase el tiempo sin más. Durante el proceso, necesitas ir replanteándote si hay algo nuevo que puedes hacer para ayudar a que se cumplan tus objetivos. Debes seguir aportando tu energía para facilitar que las cosas pasen, sin abandonar tus planes por no ver resultados con rapidez.

**Desarrollar la paciencia activa favorece
tu humildad y fomenta tu poder personal.**

La paciencia te enseña una **humildad** sana y necesaria, que te recuerda que no puedes controlar todo lo que te gustaría. Aceptar esa humildad disminuye tu autoexigencia y tu voz crítica interior.

Así evitarás precipitarte a la hora de tomar decisiones. Pero, además, tener paciencia aumenta tu **poder personal**, porque te ayuda a no desistir y a darte tiempo para alcanzar aquello que deseas. Necesitas ser paciente con los resultados, pero impaciente con el plan de acción que te llevará a conseguirlos. No confundas paciencia con procrastinación.

Puntuación del 1 al 10:

3. Busca más opciones

Muchas veces, cuando tenemos que tomar una decisión, nos encontramos con dos opciones. Envío currículos para cambiar de empresa o me quedo como estoy. Hablo con mi pareja de este tema, o lo dejo pasar... Debatir entre dos opciones nos obliga a limitarnos, cuando en realidad podemos crear una tercera opción, una cuarta y alguna más. Es como si solo pudiésemos ver el blanco y el negro. De hecho, muchas veces solo vemos el negro, nos quedamos en él, y ni nos planteamos la opción del blanco.

EL CASO DE CRISTINA

Durante el proceso de coaching que realizaba conmigo, Cristina me confesó que no se sentía del todo bien viviendo donde vivía. Cada vez que sacaba el tema con alguna amiga, se quejaba de la decoración que tenía, de que el salón era pequeño, la cocina fea y el barrio aburrido. Esta parte de su vida la veía muy negra y pocas veces se había permitido pensar en qué podía hacer para solucionarla. Las veces que se lo había planteado, la única opción que encontraba era cambiar de piso. Como afrontar una mudanza no estaba en sus planes, había aparcado ese tema, tomando la única decisión que le quedaba: aceptar el negro. Cuando le hice ver lo importante y desgastante que era este tema para ella, se abrió a pensar de otra forma (mente exploradora) y aceptó que había soluciones intermedias. Hizo algunos cambios a la decoración y organización de los espacios de su vivienda, y su percepción cambió por completo.

Desde fuera se ven muy obvias las soluciones intermedias. Pero cuando nos pasa a nosotros, algo en nuestro interior se bloquea y nos impide aceptar esos grises que tanto nos pueden ayudar. Ese bloqueo está relacionado con la mente agotadora, que prefiere no realizar cambios, por si salen mal. Revisa si en algún área de tu vida te estás negando a aceptar algún gris que pueda darle más claridad a tus días.

Puntuación del 1 al 10:

4. Abandona tus expectativas

Una cosa es tener un objetivo y tomar decisiones que te acerquen a él, y otra es tener unas expectativas establecidas sobre lo que debería pasar después de cada decisión. Aquí volvemos a toparnos con esa realidad incómoda de que no poseemos el control de las cosas. La vida no es como las matemáticas. No siempre que decidimos una cosa va a pasar lo que esperamos.

La vida es un tablero de juego en el que hay muchas variables que influyen.

Cuanto antes aceptas las normas de este juego, antes puedes disfrutarlo. Por ello, soltar tus expectativas te ayuda a fomentar tu mente exploradora. Te permite abrirte a lo que pueda pasar, extraerle el jugo y evitar la frustración que se siente cuando no se cumplen las expectativas.

Hay ocasiones en las que, tras haber tomado una decisión, se abren puertas que te pueden aportar cosas mejores de las que imaginabas. Pero si te aferras a tus expectativas, puede que dejes de ver esas posibilidades mejores que las que tenías planeadas. Por eso, mantén claro tu propósito, pero ábrete a lo que vaya llegando.

Puntuación del 1 al 10:

5. Olvídate de las opciones no elegidas

Si no lo haces, estarías viviendo en el pasado, y ya sabes lo que hacemos con el pasado: lo exprimimos para convertirlo en sabiduría, pero no nos quedamos anclados a él.

Cuando tomas una decisión, tu parte exploradora necesita tu energía para llevarla adelante, para poder disfrutarla y para aprender de ella. Si mantienes tus pensamientos ocupados en lo que pudo haber sido si hubieses cogido otra opción, tú mismo le estás quitando fuerza a la opción que has elegido.

Evita compararte con personas que eligieron la opción que tú desestimaste.

Lo que están viviendo esas personas no es lo mismo que lo que tú estarías viviendo de haber elegido esa opción. Cuando dejé mi trabajo para irme a vivir a Tailandia, recuerdo que muchas veces pensaba en mis antiguos compañeros de trabajo. Ellos seguían acumulando antigüedad y puntos para conseguir mejores opciones a la hora de solicitar traslados. Eso era algo que yo siempre había valorado mucho, ya que conseguir un turno de mañana era algo que deseaba.

Llegó un momento en el que me di cuenta de que pensar en lo que había dejado atrás me hacía sentir triste y confuso, y me impedía disfrutar al cien por cien de la experiencia de vivir en una maravillosa isla, cumpliendo el sueño de escribir mi primer libro. Como ves, la mente agotadora quería seguir llevando el control, dándole más valor a la seguridad que había dejado atrás que a todas las novedades, maravillosas, que estaban por llegar.

Puntuación del 1 al 10:

6. Encárgate de hacer de tu elección, la decisión perfecta

Uno de los engaños de nuestra mente al tener que tomar una decisión es hacernos creer que solo hay una decisión correcta.

Cuando decides, tienes unas circunstancias y una información determinada, y esas son las que te van a llevar a tomar la mejor decisión para ti en ese momento. Bloquearte por miedo a no tomar la decisión perfecta tiene consecuencias: te mantiene donde estás, sin hacer ningún aprendizaje ni demostrarte a ti mismo que eres capaz de tomar decisiones para ir trazando la vida que deseas. Y así es como se va alimentando la falta de confianza en uno mismo.

Querer encontrar la decisión perfecta es el mejor camino para la parálisis por análisis y, por tanto, el sufrimiento.

Por otra parte, si te replanteas a menudo si tomaste la decisión correcta, estarás cayendo en un patrón limitante y muy poco productivo. Nadie tiene la capacidad de saber, en el momento de elegir, qué opción va a ser la mejor a largo plazo.

En lugar de eso, activar tu mente exploradora implica enfocarte en la opción que elijas, y entregar todo tu **coraje, pasión y foco** para hacer de esa decisión la más beneficiosa en ese momento de tu vida.

Puntuación del 1 al 10:

EJERCICIO PARA POTENCIAR TU MENTE EXPLORADORA
TU YO FUTURO

Para mejorar tu capacidad de tomar decisiones, necesitas potenciar tu parte más creativa y soñadora. Para ello, te invito a que hagas una lista con **quince experiencias** que te gustaría haber vivido antes de morir. Después, ordénalas según la importancia que tendrá haberlas vivido para tu yo del futuro, cuando tengas 80 o 90 años.

Elige la que hayas colocado en primer lugar. Visualízate disfrutando de esa experiencia, compartiéndola y sintiéndote orgulloso del camino realizado hasta llegar a ella. Ahora anota en tu cuaderno un título para este sueño que deseas vivir. Sé creativo. Después, imagina que eres tu yo del futuro, y haz una pequeña redacción explicando cómo te sentiste al cumplir ese sueño, con quién lo viviste, qué es lo que más te gustó, qué dificultades superaste...

Este ejercicio te permite, por un lado, soñar aquello que te gustaría vivir y, por otro, dar importancia no solo a lo que tu mente te dice —que suelen ser los problemas que hay hasta conseguir ese sueño—, sino también a los sentimientos que te va a generar.

Para que sea más efectivo, ya sabes que tu mente necesita que pases a la acción. Escribe la fecha en la que te gustaría vivir el sueño que has descrito, y anota los pasos que tienes que tomar para conseguirlo. Para ello, imagina que, desde tu yo futuro, ese que ya ha realizado el sueño, vas marcha atrás en el tiempo, revisando los pasos que has ido dando. Ve apuntándolos en una lista, hasta que llegues al primer paso que necesitas dar. Pon fecha para realizarlo y ve a por ello.

Puedes realizar este ejercicio con dos o tres sueños. Haz una redacción para cada uno y ve tachando las acciones que vas realizando para conseguirlo. Y recuerda no caer en la autoexigencia: ponte plazos realistas, sin presión. No te generes estrés queriendo realizar en el próximo año todos tus sueños.

RESUMEN DE LA DECISIÓN 4

Esta cuarta decisión te invita a tener presente el juego que se produce en tu mente. Por un lado, una parte (mente agotadora) quiere mantener las cosas lo más parecido a como están, limitando así tu potencial. Esta parte se apoya en tus creencias limitantes, y te hace tomar decisiones limitantes. Y hay otra parte de tu mente (mente exploradora) que sabe que puedes superar tus dificultades y mejorar tu situación.

Si hace tiempo que no utilizas esta última parte, quien ha tomado las riendas a la hora de tomar decisiones es la primera, la mente agotadora. Ahora, necesitas entrenar de nuevo tu mente exploradora.

Cuando tengas que elegir entre varias opciones, evalúa cuál de ellas va a potenciar más a esa parte exploradora que da rienda suelta a tus capacidades. Esa será la que te permitirá sentirte mejor a largo plazo, porque estará reactivando tu potencial, tu coraje y tus sueños.

Ejemplo personal:

Hace ocho meses tuve que tomar una de las decisiones más importantes de mi vida. Yo residía en Madrid, con mi pareja. Vivíamos en un ático en la calle Orense, con una maravillosa terraza y muy bien comunicados con las zonas de Madrid que más nos gustaban. Sin embargo, después de quince años en la capital, yo llevaba tiempo sintiendo que quería probar una vida diferente, en una ciudad más tranquila, con mar y buen tiempo. De repente, mi pareja tuvo la posibilidad de irse a trabajar a Málaga, y me ofreció la opción de que cumpliese mi sueño.

En ese momento, surgieron muchos miedos. Parecía una locura dejar todo lo que había conseguido en Madrid. Sabía que empezar de cero en una nueva ciudad iba a ser difícil. Suponía alejarme de mi familia, amigos y del puesto de trabajo que me estaba esperando como fisioterapeuta en un hospital de Madrid. Mi mente acomodada lo tenía muy claro: no había ninguna necesidad de pasar por una mudanza y un cambio tan radical. Me decía a mí mismo que no estaba tan mal, que en Madrid se vivía muy bien y que tenía mi vida allí. Sin embargo, había algo dentro de mí que me impulsaba a explorar ese deseo que siempre había sido muy utópico. Mi intuición me decía que tenía que vivir esa experiencia. Llevaba tiempo deseándolo, y no era un capricho.

Hoy escribo estas líneas desde Málaga, después de casi ocho meses viviendo una de las experiencias más enriquecedoras de mi vida. No ha sido fácil en absoluto y, sin embargo, la convicción de que tenía que tomar esta decisión se ha mantenido presente. Esa certeza, que yo he creado, me ha llevado a explorar todas las opciones que me ofrece esta nueva vida. Hay cosas que han venido rodadas, como si me estuviesen esperando. Y en otras he tenido

POTENCIA TU MENTE EXPLORADORA

que poner, y sigo poniendo, todo mi compromiso para hacer que esta experiencia sea la mejor opción que pude tomar aquel nueve de mayo del dos mil diecinueve.

Ideas para recordar:

- ✓ Elige aquella opción que te rete, que te haga sentir tanto incertidumbre como ilusión.

- ✓ Baja el volumen de tu mente racional y sube el de tu intuición.

- ✓ Escapa de la duda y encárgate de hacer que la decisión que tomes sea la perfecta.

- ✓ Entrena a tu mente a pensar y visualizar lo que desea. No permitas que tu atención se vaya a lo que pasó en el pasado, ni a futuros escenarios terribles que pudieran darse si te pones en el peor de los casos. Enfócate en lo que sí deseas vivir.

DECISIÓN 5:
AVANZA HACIA TU MIEDO RAÍZ

Es más valioso un gramo de acción, que una tonelada de intención.

Proverbio oriental

Hay un motivo que te frena a la hora de superar ciertos retos que la vida te presenta o que tú mismo te vas planteando. Y lo conoces: es el miedo.

Generalmente, todos nos quedamos en la superficie, detectando el miedo que, a primera vista, nos frena. Por ejemplo: miedo a perder una estabilidad económica, a perder el tiempo, a fallar... Y así nos montamos excusas que, racionalmente, nos parecen muy válidas: «Ahora no es el momento de cambiar de trabajo por mi situación económica». «No es la hora de abrirme a una nueva relación porque aún no estoy preparado». «No puedo defraudar a mis padres»...

Ante el estrés y la ansiedad que esto genera, es hora de tomar esta quinta decisión. Para ello, necesitas entender que, detrás de todo ese ruido mental que justifica racionalmente tus acciones, hay un motivo de fondo, que dirige la orquesta de tu lógica mental. Y ese director de orquesta es **tu miedo raíz**.

LOS DOS MOTORES DE TU VIDA: AMOR Y MIEDO

El amor es la principal fuerza de que dispones para realizar cualquier esfuerzo que te propongas. Lo has comprobado más de una vez. El amor a un hijo, a una madre o a una pareja es capaz de movilizarte y hacer cosas que, sin ese amor, nunca harías.

El amor tiene dos vertientes: el amor hacia los demás, hacia esas personas con las que compartes tu vida, y el amor hacia ti mismo. Este último es **el amor propio**, y es el que empleas cuando tomas la tercera decisión que importa, la de respetarte y aumentar tu coherencia interior.

Sin embargo, el amor no es el único motor que hay en tu vida. Hay otro, que es capaz de generar muchísima fuerza opuesta al amor: **el miedo**. Como ves, los dos motores principales de tu vida son emociones. La diferencia es que el amor te impulsa hacia delante, mientras que el miedo, mal gestionado, te frena.

Cuando en un área de tu vida domina el amor por encima del miedo, eres capaz de superar las dificultades y cumplir las metas que te propongas. Sin embargo, las áreas de la vida en las que dejas que el miedo genere más fuerza que el amor, se tiñen de indecisión e insatisfacción.

Por tanto, este problema se arreglaría fácilmente si, cada vez que te decides por una opción, te hicieses estas preguntas:

- *¿Es esta opción la que realmente me hace aumentar el amor, respeto y coherencia hacia mí?, ¿o la estoy eligiendo porque las otras opciones me dan miedo?*

Sin embargo, no es fácil contestar a esta pregunta desde la objetividad. Tu mente prefiere que no te hagas este tipo de preguntas. Más aún prefiere que no te des ni cuenta de que tienes algún miedo que influye en las decisiones que estás tomando. Por eso necesitas poner conciencia con esta quinta decisión.

La realidad es que el miedo es una fuerza que **siempre** puede aparecer en tu vida. Por tanto, es importante que aprendas a utilizarla a tu favor. Hasta ahora, lo más probable es que hayas utilizado el miedo para protegerte y evitar exponerte a situaciones que, según tu mente subconsciente, podían resultar peligrosas.

Yo te propongo otra opción: aprender a utilizar el miedo como una fuerza de impulso hacia delante, al igual que lo hace el amor. Para ello, necesitas entender que el miedo es una emoción y, como tal, es subjetiva.

La sensación de peligro que algo te genera depende de tu mente y, por tanto, no es una verdad absoluta.

Si te planteas retos como, por ejemplo, cruzar el estrecho de Gibraltar nadando, es normal que sientas miedo. Seguramente no estás preparado para hacer algo así y, por eso, tu mente lo descarta sin, ni siquiera, planteárselo dos veces. La realidad es que, para muchas personas, no es algo peligroso. Más bien al contrario, utilizan el miedo para prepararse y poder completar un reto que les hace disfrutar.

Lo malo es que este mismo proceso que hace tu mente para desestimar posibilidades que no tienen trascendencia, como cruzar el estrecho, también lo hace para descartar opciones mucho más trascendentes para **tu línea vital.**

EL CASO DE JULIA

El otro día, en una sesión, Julia descubrió que no se permitía rehacer su vida, tras su divorcio hace casi dos años, por miedo. Descubrió que había adoptado un papel de víctima desde que se había separado. Sentía que era injusto que él hubiese terminado la relación, sin previo aviso y con tres hijos. Se había quedado destrozada. Había pasado noches enteras sin dormir, y cada vez que algo le recordaba a él, sentía mucha rabia interna. Ahora estaba conociendo a otro hombre, pero

MENTE, AYÚDAME A DECIDIR

no se sentía bien. Su razonamiento inconsciente era que, si ella volvía a ser feliz y su exmarido y familia política se enteraban, ella dejaría de ser la buena de la película.

Entender el origen del miedo te permite encontrar el camino de salida de tus bloqueos.

En el caso de Julia, descubrir que su miedo no era a empezar una relación, sino a perder el apoyo y la comprensión que había ganado al ser la víctima de la ruptura, le ayudó a soltar ese papel y tomar la decisión de rehacer su vida. Durante un tiempo había ganado el miedo por encima del amor a sí misma, y era hora de invertir esa balanza.

Por eso todas las emociones, incluido el miedo, son positivas. Porque surgen de la información que tiene tu mente. Esto hace que, a través de las emociones, puedas descubrir qué pensamientos está utilizando tu mente para generarte emociones que te paralizan y te hacen sentir mal.

Eso sí, hay una condición. Para que cualquier emoción, agradable o desagradable, sea positiva y te ayude, requiere que la valides. Esto significa que tienes que aceptar que está ahí, que estás sintiendo eso. De lo contrario, seguirá en la oscuridad de tu cabeza, dirigiendo la orquesta que piensas, erróneamente, que estás dirigiendo tú.

Si de pequeño te decían «no tienes que tener miedo» o «no llores», aprendiste una forma muy frecuente de **no validar** las emociones: evitarlas. Necesitas cambiar esto. Necesitas aumentar la escasa inteligencia emocional que, como la mayoría, recibiste.

Para poder validar al miedo, hay que tener la suficiente humildad y vulnerabilidad como para mirarte en el espejo y reconocer que no todo es maravilloso en tu vida. Esto se consigue aceptando tus sentimientos, esos que te indican que hay algo que te falta, que te gustaría sentir, y no sientes. Quizá es sentirte más amado, más valorado, más alegre o, simplemente, más vivo. Revisa las distintas áreas de tu vida (profesional, familiar, intimidad, económica...) y valida las emociones que sientes más a menudo en cada una de ellas: miedo, rabia, culpa, tristeza, amor, alegría, orgullo, frustración...

Cuando las emociones que sientes en un área son las que nadie quiere sentir, como rabia, culpa, baja autoestima o frustración, es porque en esa parcela de tu vida **ha dominado el miedo por encima del amor**.

Si te planteas qué te está impidiendo hacer un cambio que te haga sentir mejor, es probable que obtengas respuestas del tipo: es que tengo miedo a intentarlo y que salga mal, a empezar de cero, a aumentar mis responsabilidades... La mujer del ejemplo anterior no se atrevía a iniciar una nueva relación porque le daba miedo que sus hijos sufriesen si su exmarido, en respuesta, incluía a su nueva relación en la vida de sus hijos. Sin embargo, tras un ejercicio de vulnerabilidad, reconoció que, en realidad, había un miedo mucho más profundo: el miedo a perder, en el futuro, el amor de sus hijos.

Nos pasa a todos. Detrás del miedo a hablar en público, viajar solo, buscar un trabajo mejor o pedir un aumento de sueldo, hay un miedo más profundo: **el miedo raíz**. Lo veremos enseguida.

El siguiente paso para convertir el miedo en un motor positivo de tu vida, después de validarlo, es emprender el camino para superarlo. Al ser un miedo raíz, que está muy arraigado en tu mentalidad, no puedes superarlo a lo bruto. Necesitas ir acercándote, poco a poco, a experiencias que te hagan ver que el peligro que detectabas antes, cuando tu mente guardó la información que te hacía sentir miedo, ya no es el mismo.

Por ello, **una buena decisión será aquella que te exponga progresivamente a tu miedo raíz**. Si lo haces de forma brusca, sufrirás y correrás el riesgo de desistir. Si no te expone en absoluto a tu miedo raíz, estarás huyendo de él, y dejando que esta emoción siga actuando en la recámara, guiando tus decisiones hacia una dirección contraria a aquella que deseas.

Julia decidió comenzar a relajar el tono de las conversaciones que mantenía por teléfono con su ex. Al cabo de unas semanas, le propuso quedar con los niños para pasar una tarde, y en un mes le invitó a tomar un café para decirle que aceptaría a la persona que él decidiese incluir en la vida de sus hijos. Por su parte, ella se dio permiso para relajarse y disfrutar de esa nueva relación que comenzaba a fraguarse en su vida. Volvió a diseñar su línea de vida.

Para evitar que tú también limites tu línea vital por culpa del miedo, te he preparado una clasificación con los miedos más comunes. Mi objetivo es ayudarte a **reconocer tu miedo raíz**, para que puedas validarlo y sepas qué dirección tienen que tomar tus decisiones.

EL MIEDO QUE ALIMENTA A OTROS MIEDOS

Si me preguntasen si he sido miedoso, a bote pronto diría que no. La verdad es que las cosas que me he propuesto, las he ido logrando. En general, no he dejado que el miedo me paralizase cuando ya había decidido emprender un camino. Pero la verdad es otra. Hay trampa: me proponía muy pocas cosas. Solo aquellas que sabía que podía alcanzar.

Esa era mi estrategia para no exponerme al miedo. Porque la realidad es que sí, tenía miedo. Mucho miedo. Me aterrorizaba iniciar algo y no poder terminarlo. No quería fracasar. Sentía que si fracasaba estaba dando la razón a todos aquellos que, siendo yo pequeño, se habían empeñado en hacerme sentir inferior a los demás. Para compensarlo, me había entregado a los estudios y a ser un hijo y un amigo ejemplar. Había luchado mucho para compensar esas debilidades que los demás chicos veían en mí. En mi caso era el hecho de ser más femenino y sensible que el resto de los niños de mi clase. Así que, a medida que iba creciendo, aumentaba mi miedo a no ser lo suficientemente bueno como para mantenerme a la altura de lo que se esperaba de un adolescente y adulto «normal».

De ahí desarrollé mi miedo a hacer el ridículo, que me impidió apuntarme, por ejemplo, a hacer teatro siendo adolescente. También mi miedo a destacar y a hablar en público; prefería no dar oportunidad a más críticas.

Si te fijas, estoy hablando de dos categorías de miedo. Por un lado, el **miedo raíz**, el que más dolor puede causar si se hace realidad. En mi caso era el miedo a no ser suficiente. Por otro, los **miedos fruto**, que son aquellos que desarrollamos como consecuencia del miedo raíz. Son estos últimos los que más fácilmente detectamos. Pero si no atajamos el miedo raíz, será muy difícil que desaparezcan los miedos fruto. En mi caso, como consecuencia de tener miedo a no ser suficiente aparecieron otros miedos, como el de hablar en público o tener éxito en algún área de mi vida.

Todos hemos desarrollado un miedo raíz en algún momento de nuestra historia. Woody Allen, persona que ha conocido el éxito en muchos de sus proyectos, reconocía en una entrevista que el miedo ha sido su compañero más fiel. Todos tenemos esa parte oculta, nuestra sombra, con miedos que no queremos mostrar ni, casi, reconocer.

Sin embargo, reconocerlo y aceptar que tu miedo raíz es parte de ti te permite entender por qué actúas como actúas, y por qué tienes los resultados que tienes. Si quieres tomar buenas decisiones, necesitas conocer tu miedo raíz y evitar que tu amígdala cerebral te lleve, en piloto automático, a huir de él.

Hay un miedo detrás de tus miedos cotidianos: tu miedo raíz. Descubrirlo te ayudará a tomar mejores decisiones.

Podemos distinguir tres miedos raíz principales:

- Miedo a no ser suficiente.
- Miedo a perder el amor.
- Miedo a perder independencia.

EJERCICIO: DESCUBRE TUS MIEDOS

Cada uno de los miedos raíz alimenta a varios miedos fruto. Vamos a conocerlos a fondo, para ver con cuál te identificas más. Así podrás validarlo y, en el siguiente apartado, verás cómo comenzar a superarlos. Puede que te identifiques con más de uno. ¡Es muy habitual!

Miedo a no ser suficiente	Miedo a perder el amor	Miedo a perder independencia
Al fracaso	A la soledad	Al compromiso
A la incertidumbre	Al rechazo	Miedo físico
Síndrome del impostor	Al éxito	A la muerte

A medida que vayas leyendo cada miedo fruto, dale una puntuación entre 1 y 10 en función de lo presente que sientas que ha estado en tu vida. Cuando termines de leer los nueve miedos fruto, suma las puntuaciones de cada grupo, y observa cuál de los tres es el miedo raíz que acumula más puntos. Ese será el miedo que tienes que tener presente para evitar que siga dirigiendo, de forma inconsciente, tus decisiones.

Por ejemplo, en mi caso, si hubiera realizado este ejercicio hace unos pocos años, la mayor puntuación la obtendría el miedo a perder al amor, con unas puntuaciones de:

- Miedo a la soledad: 6/10

- Miedo al rechazo: 9/10

- Miedo al éxito: 8/10

Ahora reconozco que gana el miedo a no ser suficiente... No son todo lo bajas que yo quisiera, pero sin duda son mucho menores que las que hubiera puesto antes de realizar mi proceso de autoconocimiento.

1. Miedo a no ser suficiente

Se sustenta en la idea, aprendida, de que no eres lo suficientemente bueno tal como eres. Esto genera el convencimiento de que tienes que **hacer un esfuerzo continuo** para merecer algo.

Si tu mente inmadura se creyó la película de que tal como eras no bastaba, es muy posible que tu voz interior siga haciéndote sentir que no eres lo suficientemente buen padre o madre, buena pareja, o que aún no mereces relajarte en tu vida profesional porque no has logrado lo que deberías haber logrado.

El origen de este miedo está, generalmente, en unos padres o tutores que trataban de motivarte a base de la **comparación con los demás**. Su forma de animarte a crecer fue haciéndote ver aquello que aún no tenías. Se les olvidaba premiarte por lo que ya eras, por tus dones y fortalezas, y por todo lo que ibas logrando. En vez de eso, llevaban su atención a lo que no eras y a lo que no hacías. Por ejemplo, si traías unas notas con todo sobresalientes menos tres notables, te hacían ver que esos tres notables eran mejorables.

Ya de adulto, la comparación la haces tú mismo, con unos elevados estándares de calidad que te autoimpones debido a tu autoexigencia. Por eso, tomas decisiones que te ayuden a demostrar que eres suficiente. Y tiendes a evitar aquellas que puedan exponerte a situaciones que no puedas controlar.

El miedo a defraudarte a ti mismo hace que dejes de marcarte objetivos que te harían feliz.

Los miedos fruto que se alimentan de este primer miedo son:

- **El miedo al fracaso.** Cuando tienes muy interiorizado este sentimiento de no ser suficiente, has aprendido a marcarte pocos propósitos que te saquen de tu zona de confort. El motivo es que asocias más dolor al hecho de no lograr tu objetivo, que placer al hecho de conseguirlo. Y así tu mente activa los mecanismos de autosabotaje para evitar que inicies ese tipo de propósitos. Una vez más, tu mente está queriendo protegerte, aunque para ello tenga que privarte de tus sueños y de esos propósitos que aumentarían tu coherencia interior.

- **El miedo a la incertidumbre.** Ya hemos hablado de ella en la cuarta decisión. El ser humano es cambiante, va evolucionando. Por tanto, desde el momento que mantienes relaciones con otros, estás expuesto al cambio que puede sufrir cada persona con la que te relacionas. Esto lo hemos visto todos cuando hemos tenido relaciones de larga duración. Tu pareja o amigos van cambiando, y tú también. Esto genera una incertidumbre con la que puedes aprender a vivir siempre y cuando tengas la suficiente confianza en que vas a poder adaptarte y superar aquellos retos que te traigan esos cambios.

El problema surge si no confías en ti con firmeza. Esto ocurre cuando creces sintiendo que no eras lo suficientemente bueno para tus personas importantes, porque te comparaban con otros o no valoraban las cosas que hacías y cómo las hacías.

La solución jamás la encontrarás dejándote llevar por este miedo a lo desconocido. Al contrario, precisamente la confianza en ti mejorará a medida que te expongas, progresivamente, a nuevas situaciones en las que tú no tienes el control. Si te mantienes siempre haciendo los mismos planes, y relacionándote con las mismas personas, no podrás demostrarte a ti mismo de lo que eres capaz.

Para evitar este círculo vicioso, lo mejor es que comiences a darte permiso para visualizar el futuro que deseas como si fueras una persona que confía plenamente en sí misma. Trabajar tu línea vital desde esta visión te ayudará a encontrar situaciones en las que enfrentarte, progresivamente, a este miedo. Esa es la forma de ir rompiendo las telarañas que te mantienen inmovilizado frente a los cambios que necesitas hacer.

- **El síndrome del impostor.** ¿Cuántas veces has pensado que no eras suficientemente bueno para desarrollar un trabajo o una tarea que te habían encargado? Este síndrome lo hemos sufrido todas aquellas personas que tenemos, de fondo, el miedo raíz de no ser suficiente.

Si no lo superas, este miedo puede hacer que limites tu carrera profesional y te conformes con menos de lo que desearías conseguir.

El miedo a defraudar, a ser visto como un farsante, puede ser el principal freno a tu abundancia económica.

La nueva era en la que estamos entrando, en la que adquiere gran valor no tanto la formación académica sino las habilidades y características personales, hacen que superar este síndrome sea algo absolutamente necesario.

Es hora de dejar de dudar de ti mismo, de tus capacidades y de tus logros. Si los demás ven todo tu potencial y destacan tus éxitos, ¿por qué te cuesta tanto reconocerlos? ¿Por qué no te sientes orgulloso de lo que has conseguido hasta ahora?

Aquí tienes la respuesta. Tu mente aprendió que no eras suficiente, que siempre podías y debías hacer algo más. Y ese mantra, repetido en el fondo de tu mente, te impide aceptar una realidad: que ya tienes capacidad para aportar el suficiente valor en aquello que te propongas.

MI SÍNDROME DEL IMPOSTOR

Yo, durante meses, estuve evitando hacer cursos presenciales de desarrollo personal. Descubrí que mi miedo a no ser suficiente había desembocado en un síndrome del impostor en esta faceta de formador en crecimiento personal. Una de mis primeras decisiones fue dejar de procrastinar y desarrollar el programa de lo que sería mi primer curso presencial, apoyándome en un cambio de creencia. Durante esos días, cada mañana, me repetía la frase «aporto un valor real en todos mis proyectos». Así conseguí recordarme que era mi piloto automático, y no yo, quien quería sabotearme. Curiosamente, recordé que esa misma sensación de impostor era la que me llevaba a pensar que no aprobaría mis exámenes cuando, al final, siempre sacaba buena nota. ¿A ti también te pasaba?

Necesitas evitar ese razonamiento tan dañino que te hace pensar que cuando has hecho algo bien es porque era sencillo, ha sido casualidad o no tiene importancia, y cuando haces algo mal es la gran prueba de que aún no eres suficiente para estar donde estás, ni para alcanzar nuevos retos.

No eres ningún fraude, en ningún área de tu vida. Eres una persona en crecimiento. ¿Sabes qué? Igual que el resto de los mortales. Sí, también esos que ya han recorrido un largo camino. Pensar que los demás son más válidos que tú es una trampa de tu mente para protegerte, para evitar que vuelvas a pasar por momentos de incomodidad como los que viviste hace años, cuando recibías mensajes que dañaban tu autoestima.

Esta trampa se apoya en que conoces bien todas tus debilidades y carencias —te las repitieron muchas veces en el colegio, instituto, familia...— y te comparas con otras personas, de las que no tienes ni la mitad de la información. Te centras en ver sus cualidades y sus logros. Sabes que la mayoría no muestran sus defectos, sus inseguridades ni sus carencias, pero se te olvida. ¿Es justo, entonces, realizar esa comparación? No, no lo es. Hay un sesgo importante, y siempre va a hacer que salgas perdiendo.

Puede que, a tu edad, ya ni te compares con los demás. Adquiriste la creencia de que nunca ibas a ser suficiente para hacer algo importante, y directamente evitas exponerte a cualquier reto que pueda confirmarte o deshacer esa creencia.

Si te identificas con ello, has cedido tu poder al pasado, a ese pueblo, colegio o relación que te tocó vivir. Es hora de recuperar tu poder personal. Comienza por pequeños pasos, como dar tu opinión o expresar tus sentimientos en alguna conversación. No te calles. Tienes una opinión y unos sentimientos, y son válidos. Compártelos. A alguien les pueden servir. Comenzar a expresarte más es un buen comienzo para romper con este síndrome tan limitante. Hazlo en los entornos en los que no lo sueles hacer.

Si alguna vez has pensado que la única solución al síndrome del impostor es hacerse experto en tu campo... ¡olvídate! En tu mente existe la creencia de que si lo sabes todo y no cometes errores, nadie encontrará un motivo para pensar que eres un impostor. Y esto es... ¡imposible! Te estás poniendo una norma que no es posible cumplir, porque nadie es perfecto ni sabe todo respecto a un tema. Te comparas, inconscientemente, con un modelo que es falso.

No pienses que este síndrome afecta solo al área profesional. También puede estar limitándote en el área de pareja, familia, relaciones sociales... Por ello te animo a realizar este ejercicio.

EJERCICIO: REVISA TUS EXPECTATIVAS

Reflexiona sobre estas preguntas:

✓ *¿Dónde está el listón que me pongo para estar satisfecho conmigo mismo?*

✓ *¿Qué plazos y requisitos me estoy imponiendo?*

Haz una lista de lo que esperas de ti en cada área de tu vida. ¿Son unas expectativas equilibradas, que te permitirán sentirte bien durante el proceso?, ¿o son elevadas y responden a viejos patrones de autoexigencia y perfeccionismo? Si esas expectativas dificultan tu bienestar en el proceso, es hora de cambiarlas. Es el momento de priorizar tus valores, dando más importancia a tu bienestar, tu libertad y tu paz interior por delante de la responsabilidad, el éxito profesional o la familia. Permítete probar durante una temporada.

2. Miedo a perder el amor

Llámalo amor, atención o reconocimiento. El caso es que tú, como todos, tienes una necesidad de que te reconozcan, de que te vean y te valoren. El problema surge cuando te despistas y no te fijas en quién quieres que te dé ese reconocimiento. ¿Puedes conseguirlo de cualquier persona? Sabes que no. Es imposible gustarle a todo el mundo. También sabes que hay personas que tienen valores muy diferentes a los tuyos, o que han evolucionado por caminos muy distintos. ¿Por qué desear, entonces, su reconocimiento?

La respuesta la encontramos en el valor que te das a ti mismo a la hora de relacionarte con los demás. Cuando, inconscientemente, crees que no eres suficientemente importante para que los demás te aprecien, surge en ti este miedo a quedarte solo, a perder el amor de tu familia, tu grupo de amigos, o tu relación de pareja.

EL CASO DE ADELE

La historia de la cantante Adele tiene mucho que ver con este miedo. Ella fue abandonada por su padre cuando era una niña. Este acontecimiento despierta en cualquier persona un miedo raíz a perder el amor, puesto que, al haber perdido al padre, solo queda el amor de la madre. Cuando Adele sufrió la ruptura sentimental de su primer novio importante, este miedo se reactivó, llegando a utilizar la adicción al alcohol y al tabaco como forma de anestesiar los miedos fruto que surgieron.

Por suerte, Adele superó ese miedo raíz, y sus consecuencias, y se convirtió en una más de esas historias de superación que tanto nos inspiran.

La necesidad de que nos aprecien responde a la evolución que hemos tenido como especie. Hemos sobrevivido gracias a la fuerza de la tribu. La experiencia nos dice que juntos llegamos más lejos y, aunque todos tenemos una necesidad de independencia, en situaciones de peligro sabemos que el amor y la conexión con otras personas nos pueden salvar.

A pesar de ser algo que forma parte de la evolución de nuestra especie, todavía nos cuesta aceptar que necesitamos el amor y reconocimiento de otros. Si has desarrollado un miedo a perder ese amor y no lo has validado, es normal que reacciones en piloto automático con uno de los tres mecanismos de defensa que se activan al sentir el miedo: te bloqueas, atacas o huyes. ¿Cuál utilizas más?

Estas reacciones son la fuente de muchos problemas en las relaciones. Y todo por no entender que el origen es un miedo del pasado, que desarrollaste inconscientemente en tu infancia, cuando se te hacía difícil obtener el amor y reconocimiento de alguna de tus figuras importantes. Veamos los miedos que se derivan de este miedo raíz.

- **El miedo a la soledad.** Detectar y reconocer que tienes este miedo supone un gran avance. Suele mantenerse oculto durante mucho tiempo, ya que asumimos como normal que a nadie le gusta estar solo.

En los primeros años de tu vida, eran de vital importancia las personas que te rodeaban. Primero tus padres y hermanos, y después tus amigos. Gracias a ellos te divertías y aprendías mucho. Antes de llegar a la adolescencia, descubriste que no todos somos iguales, y no todos podían comprenderte. Comenzaste así a sentir algo de soledad, generalmente acompañada de mucha incomodidad. Aprendiste a huir de ella, buscando amigos que te ayudasen a no sentirte tan raro ni aislado. Si lo pasaste mal en aquellos primeros momentos de independencia, es natural que rechaces, consciente o inconscientemente, la soledad.

Pero este miedo tiene consecuencias. Puede hacer que te aferres a relaciones que ya no te aportan lo que deberían. Si te da miedo quedarte solo, es probable que renuncies a tus necesidades para complacer a otros. La **dependencia emocional** tiene su origen en este tipo de miedo que, como ves, viene del miedo a perder el amor y el reconocimiento.

Si sientes que tienes dependencia hacia alguna de tus relaciones, y que estás anulando parte de tu esencia, necesitas tomar decisiones que te hagan romper esa dependencia que has creado inconscientemente. La solución pasa por darte la oportunidad de sentirte solo, a ratos. Comienza a crear momentos de independencia de forma voluntaria, planificándolos: paseos, tardes de sofá a solas, alguna pequeña escapada tú solo... Esto te ayudará a demostrarte que puedes estar solo y disfrutar de ti mismo. Desde ese sentimiento sí podrás decidir con quién quieres compartir tu tiempo y tu energía para sentir una conexión y un amor de verdad, sin dependencia ni chantaje emocional.

- **El miedo al rechazo.** ¿Puede haber algo más duro para un niño que ser rechazado por sus padres o amigos? Todos hemos experimentado diferentes formas de rechazo, algunas más evidentes que otras. De algunas nos acordamos, y de muchas otras no. Pero ahí quedaron, en tu mente subconsciente.

En función de la autoestima que hayas ido desarrollando, este miedo habrá adquirido más o menos fuerza en tu sistema emocional. Puedes detectarlo porque está asociado a otros miedos que nos cuesta menos reconocer, como el miedo al ridículo, a la crítica o a quedar mal delante de los demás.

Este tipo de miedo es muy limitante para personas cuya vocación pasa por exponerse y dejarse ver delante de otros. Por ejemplo, personas con un don para las artes escénicas. ¿Imaginas cuántas personas adultas han sufrido por no haber intentado vivir de su pasión por el arte, la música o el espectáculo? ¿Cuántos artistas nos hemos perdido? ¿Y, por suerte, cuántos hemos ganado porque han superado este miedo al rechazo? Adele, ¡gracias!

Cada vez que dejas de hacer cosas por la opinión de los demás estás poniendo límites a tu potencial, y refuerzas un miedo aprendido a perder el amor de otros. ¡Como si fuera más importante su amor que tu amor propio!

Superar el miedo al rechazo requiere priorizar tu coherencia interior por encima de la opinión de otras personas.

Si alguna vez has sentido la llamada a hacer algo que te expone demasiado a los demás (cantar, bailar, escribir...), analiza cómo ha podido influirte este tipo de miedo. Si te ha limitado, reconoce que es algo aprendido hace muchos años y que puedes superar, y comienza dando pequeños pasos que te expongan a ese miedo. No importa a dónde llegues, pero sí importa lo bien que te vas a sentir liberando, poco a poco, ese don y esa pasión que tenías reprimidos.

- **El miedo al éxito.** Parece algo contradictorio. ¿Cómo se le puede tener miedo al éxito? Pues sí. Y está más presente de lo que imaginamos. Cuando decides huir de tus talentos, actúas bajo el miedo al éxito. Porque éxito significa realizarte como persona, liberar tu grandeza interior y compartirla con el mundo.

Alcanzar un éxito supone que algo cambie en alguna faceta de tu vida. Y ese cambio es el que ves como un potencial peligro. Porque, para tu mente, supone el riesgo de perder el amor de los que ya te quieren y te aceptan con tu actual versión.

Todos hemos conocido historias de personas que, tras lograr el éxito, perdieron valores positivos como la humildad, la amistad, la coherencia o la salud. Uno de los que a mí más me marcó fue el caso de Michael Jackson y su progresivo aislamiento y deterioro de su salud.

Al convertir el éxito en un **factor de riesgo** que puede perjudicar tus relaciones, dejas que el miedo raíz a perder amor limite tu propia autorrealización. Una vez más, el amor propio y la confianza en ti mismo son la solución para dejar de anteponer a los demás por encima de tu bienestar.

3. Miedo a perder independencia

Vamos con el tercer y último miedo raíz. Quizá te parezca el más razonable de todos. A nadie le gusta perder libertad, independencia o salud, pero hay personas a las que el hecho de imaginar una pequeña posibilidad de que suceda les hace desistir de alcanzar cosas importantes para ellas.

El origen puede estar en experiencias traumáticas que se han vivido en el pasado, como un accidente o un abuso de poder.

Pero también es posible que no exista ningún origen traumático, y que estos miedos aparezcan por un pasado en el que se limitó mucho la autonomía de la persona. Por ejemplo, si fuiste el tercer hijo y, además de estar sometido al control de tus padres también lo estabas al de algún hermano mayor, en la edad adulta es posible que huyas de cualquier experiencia que te haga repetir aquella sensación de **falta de libertad**.

De esta forma, el miedo toma el control y te hace huir de determinadas decisiones, por asociarlas a esta pérdida de autonomía. Veamos los ejemplos más comunes.

- **El miedo al compromiso.** El más habitual, y el que más dolor suele provocar, es el miedo a comprometerse con una pareja. Pero también puede verse en otros momentos, como a la hora de comprar un piso, mantener un puesto de trabajo o establecer un lugar de residencia por un tiempo indefinido.

Cuando sientes este miedo es porque tu mente asocia esa decisión a una pérdida de autonomía. Y, porque en tu mentalidad se valora más la independencia frente a valores como el amor, la familia o la estabilidad.

Esto, en sí, no es ni bueno ni malo, salvo que te haga perder cosas que deseas en tu vida. En ese caso, estará dirigiendo tu vida un piloto automático activado por acontecimientos del pasado que te hicieron perder libertad. Necesitas tomar la primera decisión que importa: reconciliarte con tu pasado, convirtiendo tus experiencias en sabiduría, y no en pilotos automáticos que se mantienen de por vida.

- **Los miedos físicos.** Aquí puedes encontrar el miedo al dentista, a las arañas o a las agujas. Todo aquello que es capaz de generar una sensación dolorosa puede desatar un miedo de este tipo.

Existe, en estos casos, una doble falta de confianza, casi siempre inconsciente. Por un lado, en la capacidad de resistencia y de sanación que tiene tu propio cuerpo. Por otro, en la profesionalidad de otras personas.

El resultado de este miedo es que se activa un patrón de victimismo frente a estas situaciones, que te impide tomar decisiones desde la libertad.

- **El miedo a la muerte.** La muerte es la máxima expresión de pérdida de autonomía. Es natural sentir ese miedo en circunstancias en las que corres un verdadero peligro. Sin embargo, si sientes que este miedo está presente en tu vida, y te visita con frecuencia con pensamientos sobre la muerte o viendo riesgos para tu vida en situaciones que otros no los ven, entonces te conviene hacer un trabajo para superar el miedo raíz a perder autonomía.

```
Nota mental:

  ✓ Justo lo que me da miedo es lo que me mantiene en donde
    no quiero estar. Cada uno de mis miedos es una oportuni-
    dad para mejorar mi situación.
```

CÓMO ALIARTE CON TUS MIEDOS

Todos sabemos que hacer cosas que no hemos hecho antes da miedo. Por ello, parecería justo que alguien te hubiera enseñado el truco para hacer las cosas con el miedo como acompañante. Sin embargo, nadie te explicó de dónde surge esta emoción y cuál es su intención.

Ahora ya sabes que necesitas validarlo y encontrar el origen real de ese miedo. Al hacerlo, pierde la fuerza limitante que tenía, porque en ese momento ya puedes reencuadrar la situación: verla desde una perspectiva más global, más realista y más actual. Así, activas tu corteza prefrontal, esa que participa en la toma de decisiones y tiene la capacidad de contrarrestar a las fuerzas que ejercen la amígdala y el núcleo accumbens para llevarte en piloto automático a seguir como hasta ahora.

Cuando no conoces este proceso, el miedo pasa a ser un generador incombustible de insatisfacción. En vez de ir al origen, al miedo raíz, te han enseñado a buscar soluciones al síntoma que produce: la insatisfacción de no tomar las decisiones que necesitas. Y de ahí surgen tantas adicciones, medicamentos y hábitos para adormecer a la mente. El tema es que ahí no está la solución, sino más problemas.

Al no afrontar un miedo raíz, cada vez se van desarrollando **nuevos miedos**, como el miedo a hablar en público, miedo a ligar, miedo a volar, miedo a decir «no». Aunque no lo parezca, esos pequeños miedos están influyendo en tus decisiones, actuando sigilosamente y manteniéndote bloqueado en esa área de tu vida en la que no consigues sentirte a gusto del todo.

Al dejarte vencer, inconscientemente, por el miedo, estás fortaleciendo la creencia de que eres «incapaz de cambiar» aquello que te da miedo. Te estás contando una mentira. Porque sí que eres capaz. Puedes hacer las cosas con el miedo como acompañante, igual que lo hiciste cuando aprendiste a montar en bicicleta o a conducir.

Eso sí, para superar los límites que te imponen tus miedos necesitas tener el compromiso de abandonar tu zona de falso confort.

Los muros que limitan tu zona de confort son tus propios miedos.

Hay verdades que duelen, pero que es mejor reconocer cuanto antes. Una de ellas es que los resultados que tienes no son los que te gustaría porque te dejas llevar por tus miedos que genera tu mente subconsciente.

Si no tienes más relaciones, es porque tu mente prefiere que estés más aislado. Si no tienes más dinero, es porque a tu mente le aporta más tranquilidad la carencia que la abundancia.

Cuando una persona se plantea salir de su zona de falso confort no es por capricho, sino porque le duele más seguir como está que superar uno de sus miedos. ¿Es este tu caso? ¿O prefieres seguir como hasta ahora?

Necesitas reconocer la insatisfacción que te genera seguir dejándote limitar por tus miedos. Si no lo haces, seguirás decidiendo que no es tan grave vivir así y nunca superarás tus miedos.

Estas cuatro fuerzas, que solo tú puedes crear, te impulsarán directamente a la acción, a pesar del miedo. Son las cuatro claves para aliarte a tus miedos y tirar hacia delante. El miedo siempre estará ahí, pero tú aceptarás que **hacer las cosas con miedo es el único camino** para ir debilitando ese freno que limita tu felicidad.

Cada una de estas claves las conseguirás tomando las cuatro decisiones que ya has visto:

✓ Tu **sabiduría vital** aumentará en la medida que entiendas el origen de tus pilotos automáticos.

✓ Tu propósito superior aparecerá al ir tomando la responsabilidad de diseñar tu **línea vital**.

✓ Tu amor propio se reforzará a base de priorizar tu **coherencia interior**.

✓ Tu confianza se multiplicará a medida que vayas bajando el volumen de tu mente agotadora y refuerces tu **mente exploradora**.

ENTENDER PARA TRASCENDER

Además de reconocer el miedo, para validarlo necesitas entender para qué aparece. Sea cual sea tu miedo, este aparece porque tu mente necesita que hagas algo: **prepararte**. ¡Ojo! Fíjate que prepararte es muy distinto a desistir, bloquearte o alejarte.

Que sientas miedo significa que es algo que todavía no te resulta familiar, pero eso no quiere decir que sea peligroso. Lo que te dice el miedo es que necesitas poner conciencia, entrenarte y prepararte, porque es algo a lo que no estás acostumbrado... ¡todavía!

Por ejemplo, si te da miedo conducir, puede ser por muchos motivos, pero el mensaje que debes tener presente es que necesitas prepararte más de lo que estás. La única forma de superarlo es haciendo lo que te da miedo: en este caso, ¡conducir! No vale leer manuales o ver tutoriales en YouTube; necesitas ponerte al volante y arrancar. Desde tu sofá nunca superarás ese miedo.

Eso sí, se puede hacer a lo bruto, lo cual tu mente interpretará como un peligro, o progresivamente: primero tomando de nuevo clases con un profesor, luego acudiendo a entornos muy tranquilos para practicar, después en momentos de poco tráfico... y así progresivamente.

Un ejemplo más complicado sería el miedo a la muerte. En este caso, el mensaje de «prepárate» significaría que necesitas hacer algo para llegar a ese momento y sentirte tranquilo. Puede ser haber vivido algo, perdonado a alguien o darte permiso para ser más libre de lo que te sientes. El caso es que tu mente puede estar interpretando que esa tarea aún no está hecha, y por eso te lo recuerda a menudo con miedos, hipocondría...

Como ves, es importante ser consciente de tus miedos. Son un mensaje de tu mente que te está diciendo que hagas algo: que te desapegues de ciertas relaciones, que te valores, que dejes atrás viejas creencias... En definitiva, tus miedos están para invitarte a desaprender cosas del pasado y desarrollar partes de ti que aún no has explorado. Superando los pequeños miedos, irás debilitando tu miedo raíz, ese que te marcó mucho desde tu infancia sin tú saberlo.

Para terminar con esta última decisión, quiero compartirte una frase que me encanta. Es de un escritor estadounidense, Joseph Campbell, y dice así: «La cueva a la que te da miedo entrar contiene el tesoro que buscas».

Si hay algo que lleva tiempo rondando tu cabeza, algo que te gustaría cambiar de tu vida y todavía no lo has hecho, una llave maestra que mejore tu vida..., ese es el tesoro del que habla Joseph Campbell y que todos hemos buscado en algún momento. Y está ahí, al otro lado de tu principal miedo. Es algo que has estado evitando porque pone en tensión a tu miedo raíz. Ahora ya sabes cómo tu mente ha actuado para protegerte. Es hora de decidir protegerte de otra forma, tomando las decisiones que importan para crear tu propia felicidad.

**Hazlo a tu manera. Hazlo aprendiendo y disfrutando.
Hazlo con miedo. Pero, ante todo, hazlo:
tu felicidad depende de ello.**

EJERCICIO PARA AVANZAR HACIA TU MIEDO RAÍZ

Ya has detectado tu miedo raíz y otros miedos fruto que te limitan. Para que dejen de limitarte, hemos visto que necesitas entender su mensaje: ¡prepárate! Independientemente de tu miedo y tu situación, hay algo que puedes hacer para prepararte ante tus miedos:

- Por un lado, **incorpora a tu diálogo interno tus cualidades y logros**. Tener presente estos dos aspectos es algo que las personas exitosas hacen. Si te parece vanidoso y lo relacionas con el ego, quítate esa idea y experimenta a ver qué pasa. Tanto tus cualidades como tus logros son aspectos reales que forman parte de ti, y que te ayudan a avanzar hacia tu propia felicidad. Por tanto, el primer ejercicio consiste en realizar un listado de quince cualidades que posees y quince logros que ya has conseguido. Tener presente en tu mente esas cualidades y esos logros te ayudará a hacer las cosas a pesar del miedo.

CUALIDADES	LOGROS

- Por otro lado, **crea tu «equipo aliado»**. Esto significa que te rodees de estímulos que refuercen una mentalidad que te facilite el cambio, fortalezca tu autoestima y te haga recuperar tu poder personal.

  Para ello puedes leer libros, escuchar pódcast, ver vídeos de referentes del mundo de la superación personal y la motivación, acudir a charlas y talleres, conocer a nuevas personas, realizar un proceso de autoconocimiento y *coaching*... Recuerda siempre que cuanta más ayuda necesites, más grande será el miedo a vencer y, por tanto, más cambio supondrá en tu vida. No dejes que el miedo a «pedir ayuda», o la costumbre de no pedirla, te mantengan donde no deseas.

  Anota qué quieres hacer para crear tu equipo aliado, y decide cómo y cuándo puedes dejarte acompañar por este equipo aliado. Por ejemplo, escuchando el pódcast *Mente, ¡déjame vivir!* al ir a trabajar, seleccionando un profesional para iniciar un proceso de psicología o *coaching*.

- Por último, **innova en tu día a día**. Una de las formas que tiene el miedo para frenarte es limitando tu capacidad de innovar. Por ello, observa todo aquello que despierta tu curiosidad y te incita a ampliar tu abanico de intereses. Toma decisiones para dar espacio en tu vida a esos intereses que has podido estar reprimiendo desde hace tiempo. La motivación de ser algo que te interesa te ayudará a ir venciendo progresivamente tus miedos.

Apuesta por aquello que deseas y te da miedo.
Arriesga, aunque no tengas garantías, porque
tu crecimiento está garantizado.

RESUMEN DE LA DECISIÓN 5

Exponerte a aquello que más te ha frenado durante tu vida siempre va a ser una decisión acertada. Solo tienes que encontrar una forma progresiva para hacerlo.

Quizá primero necesites dar pequeños pasos previos, o incluso pasar por una etapa valle para reponer fuerzas. Pero mantén presente la idea de aliarte con tu miedo raíz, deja de evitarlo. Tomando las cuatro anteriores decisiones que importan, estarás preparando el camino para conseguirlo: desactivando tus pilotos automáticos, visualizando tu propósito superior, aumentando tu coherencia interior y activando tu mente exploradora.

Ante varias opciones, elige aquella que te demuestre que confías en que estás superando las limitaciones que te generaba tu miedo raíz. Si tienes miedo a no ser suficiente, arriesga y comienza a hacer aquello que deseas, dejando de dar tanta importancia a los demás. Si te da pánico quedarte solo, comienza a expresarte con la libertad de ser tú mismo y de comunicar tus miedos, tus necesidades y tus deseos a las personas importantes para ti. Puede que al principio no resulte demasiado cómodo, pero recuerda que seguir huyendo de tus miedos también tiene sus desventajas. Prueba y déjate sorprender de cómo cambian las cosas cuando tú cambias.

Ejemplo personal:

Tras tomar aquella decisión de AHORA YO, que te contaba al principio del libro, comencé a descubrir muchas cosas. Una de las que más me costó aceptar era que había vivido con mucho miedo. Recuerdo la sesión de *coaching* en la que me hice consciente. Fue como un jarro de agua fría. Me vi a mí mismo con una tremenda coraza que me había puesto, a base de títulos, éxitos profesionales y relaciones muy controladas, para evitar mi mayor miedo: el miedo a ser rechazado.

Más adelante, entendí que ese miedo era fruto de un miedo más intenso: el miedo a dejar de ser amado y aceptado en un grupo.

Sabía lo que eso suponía, y mi mente subconsciente había tratado de evitar a toda costa que volviese a pasar por lo mismo.

Mi *coach* me invitó a elegir algo que implicase salir de ese piloto automático. Fue entonces cuando decidí que abriría mi propio blog. Llevaba tiempo diciendo que me encantaría ser bloguero, escribir y compartir todo eso que estaba aprendiendo en mi proceso. Y así fue. Abrí un blog y un perfil en Facebook, y empecé a compartir mis reflexiones. ¿Hay algo que te exponga más a ser rechazado? Sabía que me podían criticar muchas personas que no me conocían. Pero lo que más me preocupaba era la reacción de mis amigos, pacientes y contactos. ¿Qué pensarían de todo aquello? ¿Perdería credibilidad para ellos? ¿Me retirarían su atención y, con ello, su amor? Esos eran los pensamientos que había manejado mi mente y que, en ese momento, se hicieron conscientes. Al detectarlos, y entender que ya no tenían sentido, pude tomar la decisión de apostar por algo que, viéndolo en perspectiva, fue el primer paso para una nueva vida: la de escritor y *coach* que tiene el privilegio de ayudar e inspirar a muchas personas.

Ideas para recordar:

- ✓ Detrás de los miedos que sientes hay un miedo mayor que necesita ser escuchado.

- ✓ Reconocer que tienes miedo y entender su origen te ayuda a gestionarlo, evitando que persista y continúe quitándote libertad.

- ✓ Respetar el amor a ti mismo, a tus deseos y tus valores, te aporta la fuerza necesaria para contrarrestar a tus miedos; es cuestión de darte el permiso de hacerlo, con la ayuda que necesites.

DESPEDIDA

Hoy terminas este libro. Hace unos días tomaste la decisión de mostrarte amor propio y de dedicar un tiempo a averiguar cómo tu mente te puede ayudar a tomar decisiones que aumenten tu confianza en ti mismo. Sabías que tenías margen de mejora. Y es que, en el fondo, sabes que, en algún área de tu vida, puedes vivir mejor, sintiéndote mejor contigo mismo y demostrándote que te quieres y te valoras.

A lo largo de estas páginas has ido descubriendo el poder que tienen tus decisiones para disfrutar de tu propia felicidad. Te he animado a que aprecies tus malas épocas como oportunidades para conocerte mejor, porque solo conociéndote y entendiéndote puedes dejar de castigarte y pasar a reconocer el verdadero valor que hay en ti.

Aunque lo hayas creído alguna vez, ese valor no lo has perdido por el camino. Por mucho que te hayas criticado, exigido y maltratado, tu verdadero valor está intacto. No eres una persona ansiosa, estresada o triste. Quizá has experimentado ansiedad, estrés o tristeza durante un tiempo, pero eso no es lo que tú eres. Si cuando acabes de leer este libro vas a mirarte a tu espejo, podrás ver, en el fondo de tus ojos, ese valor del que te hablo. Esa es tu verdad, y la puedes dejar salir a través de tus decisiones.

En tu pasado viviste experiencias que te llevaron a dar más valor a lo que otros esperaban de ti que a tus propios sentimientos. Es hora de desaprender todo aquello y utilizarlo a tu favor. Todo lo que has vivido hasta ahora no es algo que pasó y ya no está. Sigue estando en ti, y tienes la opción de convertirlo en sabiduría para construir la vida que, de verdad, deseas.

Tu vida es tu más inmenso tesoro, y no puedes desperdiciarlo. Mira hacia el futuro y decide qué quieres vivir y cómo quieres vi-

virlo. Ya no serán tus pilotos automáticos los que lideren tu vida. Ahora vas a ser tú quien vaya diseñando esa preciosa línea vital que mereces. La vida pasa rápido, y cada día tienes oportunidades de marcar un punto muy valioso en esa línea. Cada pequeña decisión es importante. Saludar a una persona, llamar a un amigo, hacer algo de deporte o elegir un plato de comida más saludable son pequeñas decisiones que influyen en tu línea vital, y en la satisfacción interior que dejaste de sentir en algún momento y que ahora decides recuperar.

Tu coherencia interior es tu principal guía para este propósito. En el fondo, tú sabes qué cosas te roban esa coherencia en este momento de tu vida. Decide priorizarla y recuperar la energía que brota de ti cuando te respetas y te permites aquello que sabes que necesitas.

Como ves, necesitas darte el permiso. Tú eres el guardián de tu amor propio. Nadie te lo puede robar, salvo tu propia mente acomodada, esa que prefiere que sigas con los aprendizajes y conductas del pasado. Esa que, para evitarte sufrir por lo desconocido, es capaz de permitir que el miedo, la ansiedad y la baja autoestima sigan haciéndose fuertes y continúen robándote confianza en ti mismo.

Ningún ser humano ha pasado por este mundo sin sentir miedo. El dolor que supone dejar de hacer las cosas como antes las hacías es inevitable. Duele porque te hace crecer. Aliarte con tus miedos es la forma de progresar y superar esas épocas que a todos nos llegan, en las que ocurren cosas que no deseamos o nos damos cuenta de que no estamos donde nos gustaría estar. En esos momentos necesitas recordar que el cambio que deseas no es una capacidad que debas adquirir y aún no tienes. No lo es. El potencial ya lo tienes. Lo que necesitas es tomar la decisión de hacer ese cambio. Al dejar de procrastinar permitirás que aflore en ti todo eso que otros ven y que a ti te cuesta ver. Incluso todo aquello que sabes que, un día, estuvo en ti y pensabas que habías perdido.

Decide soltar esa historia que te limita y esos pensamientos que te hacen pequeñito. Decide observar las opciones que eliges cada día: cómo piensas, cómo te ves, cómo te recompensas, qué te dices, cómo utilizas tu tiempo, tu dinero y tu energía... Eres jefe de tu vida y lo eres cada día. Entrénate en estas pequeñas decisiones

LA PRIMERA DECISIÓN IMPORTANTE

y, poco a poco, podrás sentirte orgulloso de tus logros y, también, de tus aprendizajes. No todo será bonito, cometerás errores y tendrás que aprender. Pero todo reforzará tu confianza y el amor a ti mismo.

Ahora es el momento de despedirnos. Te aseguro que escribir este libro ha sido, sobre todo, un viaje al futuro muy importante para mí. Deseo que también lo haya sido para ti. Solo puedo darte las gracias por decidir crecer. Al hacerlo, beneficias a muchas personas. Unas muy importantes para ti. Otras, que aún ni conoces. Pero, sobre todo, beneficias a tu yo futuro, ese que se sentirá muy orgulloso de todo lo que has ido haciendo para desplegar todo tu potencial y liderar tu vida.

Gracias por tu valentía. Y recuerda, ¡ahora tú!

¿QUÉ MÁS PUEDES HACER A PARTIR DE AHORA?

Si aún no has leído mi libro *Mente, ¡déjame vivir!,* te animo a hacerlo. Te aportará un montón de claves que te permitirán entender por qué tu mente te limita y te quita tanta energía. Además, encontrarás pautas y ejercicios para aplicar en tu día a día y ayudarte a cambiar una mentalidad tóxica por una que te potencie y te permita quererte y disfrutar de tu vida.

Si sueles somatizar tu estrés en síntomas como contracturas, problemas digestivos, alteraciones cutáneas, etc., te recomiendo la lectura del primer *e-book* que escribí: *Salud y mentalidad.* Es breve y conciso, y encontrarás cinco claves que te ayudarán a mejorar tu salud y bienestar. Lo tienes disponible en Amazon por 0,99 €.

Sígueme en las redes sociales

Si ya lo haces, por favor, envíame un mensaje y cuéntame qué te ha parecido el libro. Estaré deseando saber tu opinión, ver una foto tuya con el libro o simplemente saber que has leído este libro en el que tanto me he mostrado.

Y si aún no me sigues, y deseas seguir activando tu mente exploradora, recibiendo inspiración con mis reflexiones, y estando al tanto de todo lo que hago, puedes seguirme en los diferentes perfiles donde escribo y comparto vídeos con reflexiones:

@eduardollamazares

 Eduardo Llamazares. Lidera tu vida.

 Eduardo Llamazares.

 Eduardo Llamazares.

También puedes escuchar mi pódcast, titulado *Mente, ¡déjame vivir!* Lo encontrarás en Spotify, Ivoox e ITunes.

¿Quieres reforzar tu confianza y amor propio?

¿Te gustaría sentir que tomas una decisión que quizá antes de leer este libro te hubiera costado? Te voy a proponer un último ejercicio.

La vida ha hecho que me conozcas y tengas este libro en tus manos. Si ha despertado en ti ideas que estaban dormidas, te has hecho un gran regalo. Leerlo ha sido una muestra de amor a ti mismo.

¿Te imaginas cómo sería tu vida si las personas que más aprecias conocieran el contenido de este libro? ¿Cómo te sentirías si algún día esas personas te dijeran: «Gracias por recomendarme este libro, me ha ayudado muchísimo»?

Ahora, piensa en tres personas que conoces y que podrían beneficiarse de aprender a tomar decisiones que importan, en este momento de su vida. Hazte esta pregunta: ¿Tomar la decisión de recomendarles este libro sería una buena opción? ¿Es mejor que guardármelo para mí?

Revisa qué pensamientos surgen en ti ante la idea de compartirlo con ellos. ¿Qué van a pensar de mí? ¿Quién soy yo para hablarles de este libro o regalárselo? No debería, no puedo, no tengo tiempo, dinero...

Ahora, cierra unos segundos tus ojos y piensa si compartir lo que a ti te ha ayudado te aportará coherencia y puede favorecer, de algún modo, la línea vital que deseas diseñar. En función de esa respuesta, toma una decisión.

¿Te apetece vivir una experiencia que te ayudará a tomar decisiones con confianza y autoestima?

Como tal vez ya sepas, desde hace unos años, imparto talleres y cursos tanto presenciales como *online*. Todos tienen el objetivo de ayudarte a conocerte mejor y brindarte estrategias para aplicar en tu día a día.

Si sientes que este es un buen momento para continuar con tu proceso de crecimiento, te recomiendo que realices el curso on-line DESCANSA TU MENTE. Lo puedes realizar a tu ritmo, y en él encontrarás información y ejercicios que te ayudarán a descubrir el origen de tus autosabotajes, y el plan de acción para ir superándolos. Puedes encontrar más información en www.eduardollamazares.com/video-curso-descansa-tu-mente/.

Todos los cursos que he ido creando son píldoras para facilitar un proceso de autoconocimiento y crecimiento personal. Creo que en nuestra línea vital todos tenemos momentos en los que necesitamos un impulso para avanzar. A veces necesitas aprender a reinventarte, otras profundizar en cómo gestionar tus emociones, y otras reforzar tu **confianza y autoestima** para tomar mejores decisiones. La vida es crecimiento y, con honestidad, tú sabes qué te puede ayudar en cada momento. Solo permítete avanzar y disfrutar del camino.

AGRADECIMIENTOS

En primer lugar, quiero agradecer a Christian su apoyo incondicional. Sus ánimos, su escucha activa, sus dudas y su amor me han ayudado durante todo el proceso. Sin él, este libro habría tenido otra historia.

A mis padres, que siempre están ahí para recordarme que hay muchas formas de hacer las cosas, y que siempre puedo elegir.

A mi hermano, Alberto, porque su visión analítica siempre está presente en todo lo que emprendo.

A todos los profesionales que me han ayudado en mi desarrollo personal, especialmente a Tino Fernández, por hacerme integrar que la persistencia siempre vence a la resistencia.

A mis compañeros de la Certificación en Intervenciones Estratégicas, por todo el crecimiento que he experimentado durante la formación gracias a su vulnerabilidad y generosidad. Especialmente, deseo agradecer a Rut Pedroche, Irene Guerrero, Cristina Ballenilla y Sergio Piñol cada minuto que han compartido conmigo; han despertado una parte de mí que seguía sin querer incorporarse a mi vida.

A María Rosa, por compartir conmigo, con tanto cariño, su sabiduría tras 84 años de vida y superación.

A mis clientes, pieza fundamental en mi misión de vida, por confiar en mí para mejorar sus vidas y hacerme partícipe de sus logros.

Y, finalmente, a todos mis lectores y seguidores en las redes sociales, porque sois pura gasolina para continuar compartiendo con vosotros mi proceso, que es el vuestro.

LIBROS QUE PUEDEN AYUDARTE

ALCAIDE, F. (2013). *Aprendiendo de los mejores*. Alienta, Barcelona.

ARON, E. N. (2020). *El don de la sensibilidad*. Obelisco, Barcelona.

BILBAO, A. (2015). *El cerebro de los niños explicado a los padres*. Plataforma, Barcelona.

CAÑETE, C. (2019). *El poder de confiar en ti*. Planeta, Barcelona.

COVEY, S. R. (2011). *Los siete hábitos de la gente altamente efectiva*. Paidós, Madrid.

DISPENZA, J. (2008). *Desarrolla tu cerebro*. La Esfera de los Libros, Madrid.

FRANKL, V. (1999). *El hombre en busca de sentido*. Paidós, Barcelona.

GOLEMAN, D. (1996). *Inteligencia emocional*. Kairós, Barcelona.

LLAMAZARES, E. (2019). *Mente, ¡déjame vivir!* Espasa, Barcelona.

NIEVES, R. (2019). *Naciste para disfrutar*. Planeta, Barcelona.
OWEN, A. (2019). *Deja de sentirte como una mierda*. Grijalbo, Barcelona.

PUIG, M. A. (2011). *Ahora Yo*, Plataforma, Barcelona.

PUIG, M. A. (2012). *Reinventarse*. Plataforma, Barcelona.

PUIG, M. A. (2019). *Tus tres super poderes*. Espasa, Barcelona.

PUNSET, E. (2011). *Viaje al optimismo*. Destino, Barcelona.

RAMÍREZ, G. (2015). *Claves del coaching*. Autopublicación.

ROBBINS, A. (2019). *Poder sin límites*. Debolsillo, Barcelona.

ROBBINS, M. (2011). *Stop saying you're fine*. Random House, Nueva York.

ROJAS, M. (2018). *Cómo hacer que te pasen cosas buenas*. Espasa, Barcelona.

ROVIRA, A. y TRIAS DE BES, F. (2004). *La buena suerte*. Empresa Activa, Barcelona.

TIERNO, B. (2013). *Kárate mental*. Planeta, Barcelona.

TOLLE, E. (2014). *El poder del ahora*. Gaia, Madrid.

VILASECA, B. (2008). *Encantado de conocerme*. Plataforma, Madrid.

ZARARRI, G. (2019). *El fin de la ansiedad*. Vergara, Barcelona.

Este libro se terminó de escribir el 15 de mayo de 2020, durante la cuarentena impuesta por la crisis sanitaria del coronavirus, que se cobró miles de víctimas. Ahora tienes más libertad que en aquella época. Aprovéchala. Innova, explora y crece. Cada día es un regalo que mereces disfrutar. Nunca lo olvides.

Made in United States
Orlando, FL
06 October 2022

23057056R00140